자카란다 그늘 아래

유인희 수필집

소소리

책을 내면서

보랏빛 자카란다가 봄을 밝히는 아름다운 이곳, 브리즈번으로 이민 온 지 12년이 되었다. 그 사이 40대 후반에서 환갑이 되었으며 시어머님과 친정아버지께서 운명을 달리 하셨다. 특히 시어머님 가시는 길은 코로나로 국경이 막혀 참석치 못했다. 날이 갈수록 애석함이 더한다. 가끔은 지치고 힘들었지만 가족 모두의 노력 덕분에 외형적 안정은 찾은 것 같다. 참 고맙다.

이제 내면에 충실하고 싶다. 미루었던 영어공부와 홀로 남은 친정엄마에게 좋은 딸이 되고 싶다. 더 늦기 전에 전원(田園)에서 씨 뿌리고 수확하는 기쁨도 누리고 싶다.

마음만 앞선 글을 멋진 그림으로 빛나게 해 주신 안희영 화가님 늦깎이 제자의 변변찮은 글 솜씨를 과분하게 칭찬해주신 최운선 교수님 변함없이 큰딸을 지지하며 자필로 글을 보탠 친정엄마 진심으로 감사드리며 내내 건강하시길 기원한다.

출간 기회를 주신 소소리 출판사의 무궁한 발전을 기원하며 언제나 내편인 믿음직한 나의 가족에게도 사랑과 응원을 보낸다.

2023년 9월

호주 브리즈번에서 저자 **유인희**

▷ 차 례

1. 복숭아는 그리움이다

2. 꽃 머문 자리

3. 특별한 화요일

4. 꽃바람 꿈동산

1.

복숭아는 그리움이다

화가 할머니

"인희 씨! 우리 집에서 차 한 잔 합시다."라며 고운 외모와는 달리 약간 허스키한 음성으로 우리 부부를 초대하신 분은 화가 할머니다. 한국의 명문 여대(女大)에서 동양화를 전공했고 졸업과 동시에 남편과 함께 이민 와서 57년 째 살고 계신다. 그녀는 이곳에서 대학교수로 재직했던 남편의 내조는 물론 슬하의 1남 1녀를 의사와 공무원으로 훌륭하게 키우신 자랑스러운 어머니다. 현모양처로서의 삶뿐만 아니라 자기 개발도 열심히 해서 1세대 이민 여성 중에서는 보기 드물게 현지 화가들과 교류도 하신다.

그분이 친구와 친척지간이라는 것을 알게 된 후 간절히 뵙기를 청했더니 몇 년 전 여름, 우리 집에 모시고 왔다. 80에 가까운 나이라고는 믿기지 않을 고운 외모에, 공주풍 모자를 쓰고 예쁜 블라우스와 베이지색 바지를 입은 그녀는 단아하고 편안해 보였다. 그림에 관심이 많아 전시회에 가면 아래 위 혹은 좌우로 한참 들여다보길 좋아했던 난, 직접 화가를 만나니 꿈처럼 반갑고 기뻤다.

그분은 내가 준비한 소박한 밥상을 받고 소녀처럼 기뻐하면서 직접 그린 세상에 단 하나 뿐인 책갈피를 선물로 주셨다. 답례로 내 수필집을 드렸더니 가슴에 품으면서 "내가 이 책에 삽화를 그려도 될까?"라며 상기된 표정으로 물었다. 그리고 한 달 후, 형식이나 내용 모두 부끄러울 만치 밋밋했던 내 수필집은 군데군데 그분의 정성과 숨결을 담은 아름다운 책이 되어 내게로 왔다. 우리는 그렇게 서로의 관심 분야를 존중하며 왕래했는데 오늘 초대를 받은 것이다.

내비게이션에 의지하며 그분의 아파트에 도착했다. 2~3층 높이의 건물들이 본관을 중심으로 둘러있는 아름다운 그곳은, 주로 은퇴한 노인들이 많아서 조용하고 깨끗하며 온갖 꽃들이 집집마다 가득했다. 그 댁에 막 도착했을 때, 그녀는 이웃 주민 한 분과 담소를 나누고 있었다. 그녀의 유창한 영어 실력은 우리 부부를 부끄럽게 했는데 외국어는 세월가면 자연스럽게 익숙해지는 것이 아닌 꾸준한 노력의 결과라는 것을 알기 때문이었다.

그녀가 방문객을 배웅하는 동안 실내를 한 바퀴 훑어보았다.

크고 작은 액자로 화랑처럼 꾸민 실내는 굳이 설명을 듣지 않아도 그분의 삶을 충분히 짐작할 수 있었다. 특히 인상적인 것은 당신의 일상을 그려 투명 비닐로 마감 처리하여 곳곳에 붙여 놓았는데 풍속화를 보는 듯했다. 작고하신 남편과의 특별한 경험과 소중한 순간들이 소박한 마감재 덕분에 오롯이 전달되었다.

방문객의 배웅을 끝낸 그녀는 책상 위의 화구(畵具)들을 대충 정리하고 호박을 넣어 손수 만든 케이크와 차를 대접했다. 그러면서 나이 팔십이 되도록 제대로 할 줄 아는 한식(韓食)이 없다며 부끄러워했다. 보통 여성들은 결혼하면서 본격적으로 음식을 배우는데 그럴 겨를 없이 바로 이민 왔고, 당시에는 한국인들이 거의 없어 식생활이 비교적 빠르게 현지화(現地化)되었다고 했다. '로마에 가면 로마법을 따르라'는 말이 있는데 이민 10년차가 아직까지 샐러드 한 가지도 못 만들고 삼시세끼 밥만 고집하는 내 자신이 오히려 부끄러워 얼굴이 화끈거렸다.

우리는 60년대 초 황무지 같았던 교민사회와 현재의 발전상에 대해 이야기를 나누었다. 주로 우리가 묻고 그녀가 설명하는 것으로 시간 가는 줄 모르고 집중하며 들었다. 이야기 도중, 오랜만에 한국어로 많은 이야기를 할 수 있게 되어 고맙고 행복하다는 말씀을 몇 번이나 하셨다. 비록 밥보다 빵을 많이 굽고 외국 노인들에게 그림을 가르치며 영어를 편하게 사용하

고 있지만, 가장 좋아하는 음식은 한국 요리이며 가장 즐겨 그리는 소재는 한국의 꽃이라며 소녀처럼 웃었다.

헤어질 시간이 되어 자리를 정리하는데 그녀는 우리를 위해 막 구운 빵을 포장하고 역시 직접 만든 예쁜 엽서를 선물로 주셨다. 그리고 한마디 툭 던지셨다.

"요즘도 글을 쓰나? 하나님이 주신 재능은 열심히 갈고 닦아야 해. 조금만 소홀하면 녹슬고 무뎌져 다시 처음처럼 힘들고 막막해지거든. 부지런히 써서 다음에 출간할 때 내가 예쁜 삽화 그려 줄게."라며 나의 게으른 글쓰기에 죽비를 내리쳤다.

돌아오는 길, 청초한 붓꽃 한포기가 그려진 아름다운 엽서를 열었다. '사랑하는 인희씨'로 시작한 글은 나를 아끼는 그녀의 진심이 가득 담겨있었다. 글의 행간을 통하여 놀랍도록 순수한 그분을 느끼며 문득, 윌리암 워즈워드(W. WordsWorth)의 시 「무지개」가 생각났다.

> 하늘의 무지개를 바라볼 때마다 내 가슴 설렌다
> 어려서도 그랬고, 어른이 되어서도 마찬가지
> 늙는다고 내 가슴에서 이 설렘이 사라진다면
> 죽은 생명과 같은 것

나지막이 읊조리니 어느새 내 감성에도 순수함과 열정이 물안개처럼 피어올랐다. 금세 감염되었다.

Great Gift

"백내장이 많이 진행되었어요. 병원에 레터 보낼게요."

검안사의 말에 '올 것이 왔구나.' 했다. 주변에 갑자기 수술 받는 지인들을 보면서 '내 신체 중 어느 부분이 제일 먼저 문제가 생길까?'라는 생각을 했었다. 큰 병은 유전적인 면을 무시할 수 없으니 외가 쪽의 당뇨병이나 친가 쪽의 안질환 그리고 동생의 유방암 등이 마음에 걸렸는데, 눈에 문제가 생긴 것이다.

"혹시 개인보험이 있나요?"라고 물었다. 이곳은 몸이 불편하면 GP(General Practitioner)를 방문하고 GP는 환자상태를 파악한 후 정밀 검사를 받을 수 있도록 레터를 써준다. 보통 정밀검사는 엑스레이나 시티(Computed Tomography) 촬영 등인데 결과가 좋지 않으면 가장 상급 진료기관인 병원(Hospital)에 레터를 보낸다.

병원은 국립병원인 퍼블릭(Public)과 개인병원인 프라이빗(Private)으로 나뉘는데 퍼블릭은 정부가 발급하는 메디케어(Medicare)카드만 소지하면 무료로 이용할 수 있다.

덕분에 환자는 경제적 부담 없이 수술 받고 지속적인 관리도 받을 수 있는데 문제는 기다리는 시간이 많이 걸린다. 반면 프라이빗은 환자가 원하는 시간대를 예약해서 진료 받을 수 있는 편리함이 있지만 개인 보험에 별도로 가입해야한다.

보험금은 혜택이 많을수록 가격이 비싸서 가입여부를 망설였는데 이곳에서 오래 살은 지인이 "퍼블릭은 환자를 대할 때 '우리환자'라고 생각하는 것 같고, 프라이빗은 '내 환자'라고 생각하는 것 같으니 좀 부담이 되도 가입할 것을 권한다."라고 조언해서 영주권 취득 후 바로 개인보험에 가입했다. 매달 불입금이 만만치 않아 좀 아깝지만 영어도 잘 못하는 외국인이니 개인병원에서 관리 받는 것이 낫겠다 싶었다. 덕분에 며칠 만에 간단한 검사와 함께 바로 수술 날짜를 잡을 수 있었다.

이 수술은 회백색으로 흐려진 수정체를 제거하고 인공 수정체를 삽입하여 시력을 개선하는 것으로 보통 60대 이상의 환자가 많다고 했다. 나이가 어릴수록 진행과정이 빠른데 내 경우가 그렇다며 의사는 친절하게 자세히 설명했다. 그리고 오른쪽 눈 수술 후 보름정도 안정을 취한 후 왼쪽 눈을 수술하니 한 달 정도의 시간이 필요하다고 했다.

간단한 수술인 줄은 알지만 생애 처음 있는 일이니 두렵고 불안했으며 한 달 동안 일을 할 수 없으니 대신할 사람을 찾아야했다. 다행히 둘째 아들이 수술이나 퇴원 그리고 정기 검진 등을 돕는다고 했고, 친구는 내 대신 일할 수 있으니 걱정 말라고 했다. 주변정리가 마무리되자 마음의 여유가 생겨 외국의 수술실 풍경을 상상하며 차분하게 수술 날을 기다렸다.

드디어 그날, 소정의 절차를 마치고 아들과 함께 수술실로 들어갔다. 보통 환자만 입실하는데 첫날에 주의 사항이 있으니 보호자도 함께 들어오라 했다. 기다리고 있던 마취과 의사는 친절하게 인적사항을 체크하며 이곳에서 기뻤던 이야기를 물었다. 두려움으로 경직되어 있으니 그런 질문을 한 것 같다. 더듬더듬 이야기하다가 깨어나 보니 수술은 이미 끝나 있었다.

당장 오른쪽 수술만으로도 40여 년 동안 썼던 안경과 이별할 정도로 주변이 깨끗하고 맑게 잘 보였다. 그리고 2주일 후 왼쪽 수술 때는 긴장하지 않고 편하게 잘 받고 왔다. 지독한 난시와 근시였던 눈은 이제 안경 없이도 멀리까지 잘 보였는데 다만 눈이 부셔 선글라스를 꼭 써야했다.

내 눈에 문제가 있다는 것을 알게 된 것은 중학교 2학년 때였다. 칠판 글씨가 보이지 않아 맨 앞에 앉으며 짝꿍의 도움을 받아 필기를 했었다. 담임 선생님의 조언으로 시력검사를 했고 안경을 썼는데, 처음 안경을 썼을 때 나뭇잎을 보고 놀랐었다. 그동안은 잎의 윤곽정도만 보였는데 그 안에 다양한 무늬가 있는 것을 보고 신기해서, 한동안 안경을 썼다 벗었다하며 사물들을 자세히 관찰하곤 했었다. 그렇게 40여 년 동안 안경을 분신처럼 여기며 살았는데, 그것 없이도 자연스럽게 사물들을 볼 수 있게 되었으니 감사함이 밀물처럼 몰려왔다.

수술 3일 후 시력을 체크하니 양쪽 눈 모두 1.8이었다. "Thank you."를 연발하는 나에게 의사는 말했다.

"축하합니다. 비교적 젊은 나이에 위대한 선물(Great gift)을 받았으니 축복으로 여기고 관리 잘하세요."

의사의 이 말 한마디가 갑자기 밝아진 눈만큼 놀라웠다. 난 그동안 백내장의 진행 과정을 질병으로 인식해 두렵고 불안했는데, 이렇게 적확한 표현으로 환자를 위로하며 또 한 번 기쁨을 주니 참 의사다 싶었다. 이후 일터에 복귀해 고객들을 만났는데 한결같이 'Great gift'라며 축하했다. 가만히 생각해보니 이제까지 난 어떤 문제를 대할 때 부정적으로 생각해서 걱정이 많은 채 살아온 것 같다. 심지어 수술 후 좋아진 눈에 대해 놀라움과 고마움은 잠깐, 돋보기와 선글라스 챙기는 불편함을 호소하기도 했었다. 수술 후 좋아진 시력만큼 큰 깨달음을 얻었으니 눈 관리 잘하며 마음의 시력까지 챙기도록 노력해야겠다.

가요 사랑

우리와 비슷한 나이인데 전자기기를 젊은이들처럼 잘 활용하는 분이 스피커를 선물했다. 원하는 장소에 설치하고 스마트 폰에서 음악을 다운받으면, 분위기 좋은 카페나 콘서트 무대의 열기를 즐길 수 있을 거라 했다. 스마트 폰의 많은 기능 중 극히 일부만 사용할 줄 아는 우리가 이 선물을 잘 이용할 수 있을까? 반신반의 하며 그가 가르쳐준 대로 연결했다. 마른 침을 꼴깍 삼키며 평소 즐겨 듣던 가수 조용필의 노래를 선택했다.

곧이어 울려 퍼진 정다운 우리 가요, 남편은 우쭐거리며 따라 부르고 춤까지 곁들인다. 순식간에 노래방 분위기를 만난 우리는 어깨동무하며 '친구여'를 열창했는데 오랜만에 제대로 끝까지 불렀다. 가무(歌舞)를 사랑하는 민족성과 곳곳에 출현한 노래방 덕분에 우리나라 사람들은 노래를 잘 부른다. 함께 즐기다보면 금방 친해지고 정서적 안정도 꾀할 수 있는데 이곳 브리즈번(Brisbane)은 노래방이 많지 않아 기분 내키는 대로 즐길 수 없어 아쉬웠다. 이제 스피커 하나로 그 기분을 만끽할 수 있으니 자못 기대가 크다.

음악, 좀 더 구체적으로 말하면 대중가요에 관심 있는 사람들은 한두 곡 정도의 애창곡이 있다. 60년대 초반에 태어난 나는, 부모 세대가 즐겨 불렀던 트로트(trot)와 7080세대의 발라드(ballade) 풍 노래를 좋아한다.

초등학교 때, 친구 아버지인 이웃집 아저씨는 대중가요를 사랑하는 멋쟁이로 약주가 거나해지면 '눈물 젖은 두만강'이나 '비 내리는 고모령' 등을 즐겨 불렀다. 가난했던 마을 형편에 비해 꽤 넉넉했던 그는, 아들 친구들을 초대해 안방에 있는 TV를 시청하게 했던 자상한 분이었다.

그때 TV를 통해 애수나 그리움의 정서를 담은 노래를 많이 배웠다. 당시 우리는 노랫말에 등장하는 두만강이나 백마강을 알지 못했고 더군다나 부엉새 소리는 들어본 적도 없었는데 춤사위까지 곁들이며 앵무새처럼 잘 따라했었다. 그렇게 배운 노래는 지금까지도 가사(歌詞) 한 줄 틀리지 않고 끝까지 부를 수 있으며, 말보다 먼저 터져 나올 때도 있다.

조금은 주눅 들고 남루했던 20대에는 국민가수 조용필과 김수희의 주옥같은 노래들이 상처투성이 영혼들을 위로했다. 작은 체구의 조용필은 장르를 넘나들며 발표하는 곡마다 히트하는 영광을 누렸는데, 특히 '킬로만자로의 표범'은 장엄했고 그의 밴드 이름처럼 위대했다. 그 노래를 통해 킬로만자로를 품은 아프리카가 궁금했고 비록 어두운 모퉁이에 있어도 하이에나가 아니라 표범으로 살겠다는 비장한 다짐도 했었다.

조용필의 노래가 젊은이들의 우정과 도전을 예찬했다면 김수희는 흐느끼는 듯한 독특한 창법과 허스키(husky)로 인기몰이를 했다. 대표적인 노래 '멍에'는 대중가요의 제목으로는 적당치 않을 것 같은 사물에 이별의 고통을 빗댔다. 사랑하는 사람과의 이별은 가슴 아픈 일이지만 통과의례로 생각하며 인내를 배웠다.

또 젊음의 향연인 대학 가요제가 있었다. 여드름투성이 대학생들이 직접 만든 참신한 노랫말과 곡들은 동시대 젊은이들을 열광시켰다. '내가', '나 어떡해', '꿈의 대화'와 같은 수상작들을 부르면서 폼 잡고 음악다방을 전전하기도 했었다.

이처럼 70, 80년대에는 대중가요의 춘추전국시대로 트로트를 비롯하여 발라드(ballad), 포크(folk), 록(rock) 등 다양한 장르의 곡을 즐길 수 있었다. 곡만큼 가창력 뛰어나고 개성 강한 가수들의 활약으로 우리는 오감을 정화시키며 인간을 이해하고 사랑하는 따뜻한 감성을 키울 수 있었다.

장발의 대학생이었던 남편과 숏 컷의 발랄함이 무기였던 나는 어느덧 흰머리가 수북한 나이가 되었다. 가요의 취향도 바뀌어 사랑타령보다는 인생을 관조(觀照)하는 노랫말을 좋아해서 문득 탄식처럼 '가는 세월'을 부르고 '어제 오늘 그리고'를 읊조린다.

'우리가 찾은 것은 무엇이며, 잃은 것은 무엇이고, 버린 것은 무엇이며, 남은 것은 무엇인가?'를 곰곰이 생각하다가 열없이 웃고 얼른 분위기를 바꿔 합창한다.

검은 밤의 가운데 서 있어
한치 앞도 보이질 않아
어디로 가야하나 어디에 있을까
둘러봐도 소용없었지 (중략)
일어나 일어나
다시 한 번 해 보는 거야
일어나 일어나
봄의 새싹들처럼

그렇다. 삶이란 때론 뜻하지 않게 밤 같을 때가 있다. 이민 초기가 그랬고 미래 역시 알 수 없다. 그러나 언제나 그렇듯 모든 것은 지나가게 마련이니 미리 걱정하지 말고 긍정적인 마음으로 오늘을 살아야겠다. 그리고 가끔 메마른 감성에 윤활유 같은 아름다운 노래 한 소절(小節) 읊조리는 여유를 가져야겠다.

묵 한 덩어리

도토리 묵 가루 1컵 물 6컵, 그리고 한 스푼의 기름과 정성이 조화를 이룬 탱탱한 묵이 컨테이너 안에서 찰랑거린다. 묵을 가져온 유민 엄마는 그것을 4등분한 후 조심스럽게 두 조각을 꺼내 먹기 좋은 크기로 썰었다. 적 양배추, 배, 오이, 김 등 부재료를 얹고 간장 양념으로 마무리하니 순식간에 예쁘고 맛있는 묵무침이 되었다. 오목한 접시 두 개에 넉넉하게 담아 식탁에 올리자 주변 음식들과 잘 어울려 잔칫상 같다.

침을 꼴깍 삼키던 우리는 각자의 접시에 골고루 음식을 담아 자리에 앉았다. 코로나 사태로 두 달 동안 만나지 못하다, 최근 10여 명까지 방문객을 허용해서 모처럼 한자리에 모였다. 탱글탱글한 묵무침을 입에 넣으니 쫀득함과 쌉쌀함이 입 안 가득 퍼진다.

"맛있다."를 연발하며 이야기꽃을 펼치는데 첫 번째 화제는 단연 묵이다.

묵은 메밀이나 녹두 그리고 밤과 도토리 가루를 이용해서 만든다. 완성된 묵은 간장에 무치거나, 잘 익은 배추김치를 쫑쫑 썰어 참기름에 무친 후 멸치 육수를 부어 계절의 별미로 즐기기도 한다. 한국에서는 완성된 묵을 쉽게 살 수 있어 간단한 양념만으로도 손쉽게 즐길 수 있지만, 이곳은 재료만 팔기 때문에 적당한 수고를 해야만 맛볼 수 있는 별식이다.

가끔 손님접대할 일이 있거나 옛 맛이 그리워 묵을 만드는데 녹두나 밤묵에 비해 도토리묵은 젓는 과정이 어렵다. 뽀글뽀글 끓고 나면 걸쭉한 내용물이 한 번씩 화산처럼 솟구쳐 손을 위협하고, 방심하면 금방 눌어붙어 전체적으로 불내가 나기도 한다. 또 계속 젓다보면 어느 순간, 팔이 아프고 이유 없이 초조하고 지루해져 서둘러 마무리하기 일쑤다. 그러면 끈기가 없어 쫀득함을 제대로 즐길 수가 없다. 모든 음식이 그렇지만 특히 맛있는 묵 만들기는 정성을 많이 필요로 하는 것 같다.

그런 경험이 한두 번 있는 친구들이 우스갯소리로 '묵의 달인'이라 불리는 유민 엄마에게 비법을 물었다. 그녀는 가루와 물, 소금의 비율만 맞출 뿐 그 이후 공정은 남편 담당이라며 겸손하게 공(功)을 돌렸다. 보통 바깥일에 열심인 사람들은 집안 일, 특히 요리는 관심 없는 줄 알았는데 의외의 대답에 그녀의 남편에게 시선이 쏠렸다. 그는 겸연쩍은 얼굴로 "그저 젓기만 한다."며 몇 마디 덧붙였다.

"전 묵을 저을 때 우선 맛있게 먹을 사람들을 생각합니다. 이민 10년 차, 타국에서 열심히 자신의 길을 개척하는 자식들과 친척 같은 지인들을 생각하면 감사함이 밀려와 젓기에 집중할 수 있습니다. 열심히 반복하다 보면 짙은 갈색의 젤(gel)이 되는데, 중요한 건 그로부터 아쉬운 듯 몇 번 더 정성을 들인 후 불을 끕니다."

그의 설명에 의하면 맛있는 묵의 비법은 '아쉬운 듯 몇 번 더 젓기'인데, 같은 일을 우리는 '이 정도면' 하는 안이함 때문에 그동안의 노력이 수포로 돌아갔던 것이다.

그렇게 부부가 공동으로 정성들인 묵은 지인들 간에 꽤 유명해져 모임이 있으면 으레 묵을 만든다고 했다. 간단하게 과일이나 포도주를 준비하는 편한 방법도 있지만 그들은 소중한 사람들을 위해 매번 별식 만드는 수고를 감수하는 것이다. 이야기를 듣고 보니 묵이 보약같이 느껴졌는데 누군가 등산 후 하산 길에 먹었던 묵무침과 막걸리에 대한 추억을 꺼냈다. 만드는 방법에서 즐겼던 경험까지 고국에서는 평범한 일상들이 이곳에선 미화되어 삶의 활력소가 되는 경우가 많다. 묵에 이어 산행(山行)으로 화제가 바뀌면서 비록 맛있는 묵무침은 없지만 모두의 건강을 위해 2주에 한 번씩 가까운 산에 가자는 제안까지 나왔다. 전염병 사태로 외출이 자유롭지 못했던 Stage 3[1] 기간 때, 유일한 탈출구가 산이나 바다였던 것을 경험한 친구들은 입을 모아 찬성했다.

휘영청 달빛 아래, 집 주인은 남은 두 조각의 묵을 네 조각으로 알뜰하게 나누어 다른 음식과 함께 작은 봉투를 만들어 한 개씩 쥐어 준다. 고맙게 받아 차에 올랐는데 시동을 걸며 남편이 불쑥 한마디 한다.

"오늘 밤은 유난히 달이 밝네."

---

1) Stage 3: COVID-19 확산 방지를 위해 2020년 3월 29일 호주 정부가 발표한 국민 행동 지침

① 사회적 거리 두기 2인 규칙 - 같은 집에 거주하는 사람끼리 장보는 것과 회사는 제외 - 일반 외부장소에서 2인 이상 모임 금지 - 자동차를 탈 경우 가족 이외에 동승 조심

② 야외 놀이터, gym, 스케이트 장 이용 금지

③ 70세 이상(지병이 있을 경우 60세) 외출 금지

정(情)이란 무엇일까?

동생이 카톡으로 아버지 사진을 보내왔다. 휠체어에 앉아 손가락으로 V자를 만들며 천진한 미소를 짓고 있는 모습이 편안해 보였다. 앉아 계신 의자 뒤 벽면에는 알록달록한 꽃들이 화병에 넘치도록 담겨있는 그림과 '유기홍 어르신'이란 이름표가 붙어있다. 꽃 도안을 꼼꼼히 색칠하여 완성한 그림인데 붉은 계통의 꽃과 파란색 화병의 조화가 아름답고 안정감 있어 보였다. 비록 몸과 마음은 불편하지만 그의 내면은 그림 같을 것이라 생각하니 그나마 위안이 되었다.

아버지는 지금 요양원에 계신다. 작년에도 친정엄마의 척추 시술 때문에 한 달 정도 요양원에서 생활했었다. 그 당시 집에 돌아온 그는 몰라보게 살이 빠져 주변을 놀라게 했는데 엄마는 음식이 충분치 못해 그렇다고 단정적으로 말했다. 그러나 우리는 적당한 식사와 알맞은 운동으로 체질이 바뀌어 가는 좋은 징조라며 입씨름을 했었다. 어쨌거나 평소 요양원에 대해 부정적이었던 그녀는 그 일로 인해 그곳을 한층 더 불신하며 사람을 굶기는 그런 곳에는 절대로 보내지 않겠다고 선포했었다.

그런데 채 일 년이 지나지 않아 이번에는 무릎에 문제가 생겨 엄마는 또 병원신세를 져야했고 그녀의 병원 행은 아버지의 요양원 입소와 직결되었다. 요양원에 대한 마뜩찮은 인식 때문에 그녀의 마음병은 깊어갔고 우리는 요양원 입소를 제외한 여러 가지 대책을 논의했다. 경비가 좀 들더라도 24시간 상주 요양 보호사를 신청하거나 동네 친척들의 손을 빌리는 방법 등을 고려했지만 결국 요양원 입소 쪽으로 가닥을 잡았다.

수술 날짜가 잡히자 엄마는 마음을 비우고 그동안이라도 아버지를 위해 할 수 있는 일들을 차분하게 진행했다. 우선 입소할 때 가져갈 옷가지를 새 것으로 준비하고 평소에 그가 좋아했던 음식들을 만들어 먹였다. 이 이야기를 들은 우리는 입을 모아 또 한마디씩 했다.

"엄마. 아버지는 맛을 잃은 지 오래됐어. 더군다나 대소변도 못 가리는데 자꾸 음식을 먹이면 엄마만 더 힘들어지지."라며 그녀의 계획에 찬물을 끼얹었는데 그럴 때마다 모질게 말하는 우리도 울었고 듣고 있는 엄마도 울었다. 그녀는 자식들의 핀잔을 한숨으로 날리고 육류에 생선까지 계획대로 준비했다. 뼈와 가시를 발라내며 넋두리처럼 '모진 게 정(情)'이라며 울먹였다. 그녀의 상심 따위는 안중에도 없는 듯 아버지는 해맑은 얼굴로 밥숟갈을 반갑게 잘 받았고 고기와 생선에 이어 밀가루 음식 차례가 되었다.

그는 짜장면을 좋아했는데 집에서 만들어본 적이 없는 엄마는 그것 대신 잔치국수를 만들었다. 김이 모락모락 나는 잔치국수는 보기에도 먹음직스러워 그동안 잃었던 그녀의 입맛까지 돌아오게 할 정도였다.

밥상을 마주한 그녀는 "이렇게 먹는 거야."라며 먼저 한 젓가락 크게 떠서 후루룩 빨아들이며 시범을 보였는데 젓가락질을 잊어버린 그는 표정 없이 묵묵히 바라만 보았다. 아차! 싶어 평소처럼 젓가락으로 국수를 건져 아버지 입에 넣었는데 밥 한 숟갈과는 달리 국수 한 젓가락은 받아들이는 쪽의 적극적인 협조가 필요했다. 그러나 '후루룩' 빨아들이는 것이 어려웠던 아버지는 한 젓가락의 국수를 반쯤 입에 넣자마자 기침과 재채기를 연발했다. 밥상을 향한 생리현상 해소는 순식간에 주변을 아수라장으로 만들었고 애틋하기만 했던 그녀의 감정은 알 수 없는 분노로 바뀌어 "죽자, 죽어."를 외치며 그의 등을 연거푸 후려쳤다.

그때였다. 목석같던 아버지가 울기 시작했다. 흥분한 엄마를 보며 아픔인지 서러움 혹은 노여움인지 까닭모를 눈물을 뚝뚝

흘리며 어린아이처럼 엉엉 울었다. 널브러진 밥상 앞에서 둘은 그렇게 하염없이 울었고 결국 좋아하던 국수를 먹지 못한 채 아버지는 요양원으로 갔다.

예정대로 무릎 수술을 받은 엄마는 언어장애와 치매라는 이중고를 겪는 아버지를 버린 것 같은 죄책감에 빠져 "내가 먼저 죽어야지."만을 중얼거리며 치료에 소극적이었다. 자식들과 그녀가 생각하는 요양원의 개념은 하늘과 땅 차이여서 무슨 말로도 상심한 그녀를 위로할 수 없었다. 사연을 들은 간호사들은 '잉꼬부부'니 '견우와 직녀'라는 등 위로 겸 우스갯소리로 분위기를 전환시키려 했지만 허사였다.

이때 대화를 통해 엄마의 마음을 읽은 둘째 동생이 "그럴 때는 젓가락보다 간편한 포크가 좋지."라며 그녀의 아픈 상처를 정면으로 건드렸다.

"그럴래나?"

반문하는 그녀의 얼굴은 해답 찾은 학생처럼 순간 환해졌다.

"그럼, 잘 생각해봐. 국수는 밥과 달라서 한 번에 깔끔하게 입에 넣기가 어렵잖아. 그래서 국수를 이유식으로 쓸 때면 잘게 잘라 수저로 먹이거나 포크로 돌돌 말아 한입거리로 만드는 거야. 엄마는 마음만 앞선 보호자여서 그런 실수를 한 건데 요양원에는 전문가들이 프로그램대로 세심하게 환자를 돌보기 때문에 절대 그럴 일 없어. 아버지는 잘 계시니까 걱정 말고 엄마 치료나 잘 받아."라며 퇴원기념으로 아버지와 함께 포크로 짜장면 먹기를 제안했다.

동생의 사이다 발언은 즉시 효험이 있어 그녀의 얼굴은 밝아졌고 물리치료와 운동도 열심히 하며 조만간 있을 재회의 날을 기다리고 있다고 했다.

"혼인 치르자마자 무슨 지랄로 덜컥 니(너)가 생겼어. 애만 낳고 도망가자 생각했는데 새끼가 눈에 밟혀 차마 못 갔지. 젖 뗄만하면 또 애가 생기고 그렇게 한 평생 갔는데 세상에 모진 게 정(情)이여."

평소 넋두리처럼 젊어서는 새끼 때문에 늙어서는 병들어 불쌍한 서방 때문에 그녀의 일생은 눈물로 얼룩졌다. 그러나 그 모진 정이 큰 고비를 넘긴 원동력이 되었고 앞으로도 그럴 것이라는 것을 믿어 의심치 않는다. 사랑이라는 쉬운 말이 도처에 넘쳐나는 이때, 부디 그녀가 빨리 쾌차해서 말끝마다 내뱉는 그놈의 알쏭달쏭한 정 타령을 듣고 싶다.

5월의 국화(菊花)

키가 큰 분홍과 노랑 국화를 테이블 위에 한아름 올렸다. 포장지, 가위, 리본 등 꽃 포장에 필요한 재료를 중심으로 친구네 가족 3명과 동그랗게 둘러섰다. 친구는 최근 카페를 오픈했는데 내일이 5월 둘째주 일요일 어머니날이어, 축하 겸 오픈기념으로 방문객들에게 포장국화를 한 송이씩 선물하겠다고 했다. 마침, 우리 집 안팎으로 국화가 풍성해 그걸 이용하기로 했다.

난 포장에 알맞게 꽃을 다듬고 친구 자녀들은 포장하고 그녀는 리본으로 마무리해서 80여 개의 포장 꽃을 준비했다. 그 숫자만큼 손님이 많기를 기원하며 수고의 의미로 각자에게 한 송이씩 선물하고 작업을 마쳤다. 가까이서 국화를 바라보는 것만도 충분히 행복한데 실속 있게 이용하니 그 뿌듯함은 더했

다. 좀 작아서 버려진 꽃들은 화병에 꽂고 잎과 포장지로 어지러운 주변을 정리하며 내 최애 꽃 국화 추억에 잠겼다.

어렸을 적 시골마을은 봄부터 가을까지 어디든 꽃 천지였다. 그 꽃들을 통해 순결과 수줍음, 단아함과 청초함 그리고 생명 있는 것들의 강인함을 배웠다. 그러다 어느 순간 알록달록 담장을 장식한 국화에 마음을 빼앗겨 사계절 중 가을을 가장 좋아하는 가을여자가 되었다.

나의 국화 사랑은 유별나 봄마다 친정에서 모종을 가져왔지만 아파트에서 국화 키우기는 생각처럼 쉽지 않았다. 서정주 시인의 표현처럼 '봄의 소쩍새 울음소리와 여름의 천둥소리 그리고 가을의 무서리'를 아파트에서는 만나기 어려웠기 때문이었으리라. 그래도 그 사랑을 유지할 수 있었던 것은 시어머님이 손수 써 주신 글귀 덕분이었다.

> 국화야 너는 어이 삼월동풍(三月東風) 다 지나고
> 낙목한천(落木寒天)에 네 홀로 피었는가
> 아마도 오상고절(傲霜孤節)은 너 뿐인가 하노라

라는 옛 시를 걸어놓고 고결한 품격을 음미했었다. 그러다 이민 와서 국화를 찾으려 가는 곳마다 관심 있게 살펴보았지만 결국 찾지 못했다. 무서리 내리는 겨울이 없으니 그럴 것이라 생각하며 단념했는데 뜻밖에 슈퍼마켓에서 국화를 만났다. 고향 친척 만난 듯 놀라움과 반가움에 꽃송이를 쓰다듬으며 코를 들이댔다. 하지만 지조(志操)의 냄새는 어디에도 없는 다만 화려한 꽃일 뿐이었다. 그래도 그 만남 덕분에 '이곳에서도 국화를 키울 수 있겠다.'라는 희망을 갖게 되었다.

그리고 어느 해 5월, 즐겨 찾는 버닝스 웨어 하우스(Bunnings warehouse)에서 색색의 국화 화분을 만났다. 남반구인 호주는 4월이 가을 문턱이고, 국화를 선물하는 어머니날이 있는 5월의 꽃시장은 국화 품평회장 같았다. 그런 줄도 모르고 한국식으로 9~11월에 그 꽃을 집중적으로 찾았으니…. 순간, 헛웃음이 터졌다.

이후, 이 시기만 되면 꽃시장을 들락거리며 세일을 기다렸다가 횡재만난 듯 서너 개씩 사들였다. 비록 외양은 한창 때에 비해 볼품없지만 뿌리는 건강해서 새 토양에서도 금방 적응하며 잘 자랐다. 그리고 친구들과 한두 포기씩 교환하며 그 오묘한 색과 향을 즐겼다. 그러던 중 나의 알뜰한 국화 사랑을 알게 된 지인이 자신의 정원에 있는 노란 국화를 뿌리째 한 박스 선물로 주었다. 세일 때마다 감질나게 서너 개씩 사들였는데 한아름을 선물 받으니 그 기쁨은 이루 말할 수 없었다. 1m 간격으로 드문드문 심었던 기존의 포기 사이에 선물 받은 국화를 촘촘히 맘껏 심었다.

이런저런 사연과 발품 덕에 모인 국화는 모양과 크기, 색깔

이 제각각으로 무더위 속에서도 튼실하게 영역을 넓혔다. 키가 크고 향기가 돋보였음인지 메뚜기들이 잎을 갉았고 진드기까지 가세하면 방역(防疫)요원처럼 약품 통을 들고 주위를 맴돌기도 했다. 그렇게 관심을 사로잡던 국화가 고만고만 키를 맞추며 우리를 반긴다. 친구네 카페도 우리 국화처럼 풍성하고 향기로운 쉼터로 하루빨리 정착되길 바라며 해 저문 화단을 서성인다.

갱년기, 인생 2막

갑자기 온몸이 더워 눈이 번쩍 떠졌다. 잠자기 전에 기분 좋게 톡톡 두드리며 바른 로션이 이마와 인중부분의 땀 때문에 미끈거린다.

'이상하다. 아프지도 않은데 왜 이렇게 땀이 나지?'

잠결에 고개를 갸우뚱하다 꿈인 듯싶어 잠을 청했다. 그러나 2~3시간마다 깨는 갓난아기처럼 일정한 간격으로 덥고 땀나며 눈이 떠졌다. 세수하고 물 적신 수건을 머리맡에 두며 잠을 청했지만 더 이상 숙면을 취할 수 없어, 슬며시 일어나 푸르스름한 새벽을 멍하니 바라보았다.

누웠다 하면 바로 코 골며 아침까지 자는데 이 이해할 수 없는 현상이 불안하기만 했다. 몇 해 전부터 먹는 갑상선 약이 맞지 않아 그런가 싶어 며칠 지켜보다 결국 일주일을 못 넘기고 병원에 갔다. 잠을 제대로 못자니 집중이 어렵고 뇌가 텅 빈 것 같은 무력감을 더 이상 견딜 수 없었다.

의사는 갱년기 증상에 갑상선 문제까지 더하여 당분간 힘들 수 있다며 도움이 될 만한 약을 추천했다. 친구들의 호소에 의하면 우울증이나 얼굴이 붉어지며 가슴이 두근거린다고 했는데 난 친정엄마의 체질을 닮아 땀이 많은 증세로 갱년기를 맞게 된 것이다. 같은 증상을 가졌으니 힘들 때마다 엄마의 건강도 한 번씩 체크하라는 계시(啓示)로 생각하며 한결 가벼워진 마음으로 차에 올랐다.

나이 든 여성들에게 친구처럼 찾아오는 이 증상을 중환자처럼 요 며칠 과장되게 앓은 것이 남편 보기 민망했다. 가급적 침착하게 상황을 설명하니 "불안감이나 우울증 같은 마음병보다 눈으로 볼 수 있는 증상이라 그나마 다행이네. 처방약 열심히 먹고 마음 편하게 먹으면 곧 좋아질 거야."라며 나름 어렵게 위로했고 나 역시 조만간 꼭 그렇게 되기를 염원했다.

그러나 갱년기는 그렇게 단순하지 않았다. 열감(熱感)과 땀은 좀 덜했지만 왼쪽 눈에 뭔가 어른거리는 비문증(飛蚊症)이 시작되더니 눈의 주인처럼 행세했고 급격하게 기억력이 떨어졌다. 뿐만 아니라 뭔가 설명하려면 마땅한 단어가 입안에서만 맴돌뿐 터져 나오지 않았다. 상대방은 천천히 주어, 동사를 제대로 말하라고 주문 겸 조언했지만 그 상황에 전혀 도움이 되지 않았고 분위기만 냉랭해졌다. 그래도 이 정도는 감정적인 것들이라서 참을 만했다.

급격한 호르몬의 불균형은 마침내 온몸 구석구석 통증을 유발시켰다. 갑자기 꾀병처럼 팔이 아프기도 하고 침대 오르내리는 것이 어려울 만큼 무릎이 아프기도 했다. 낮에는 그럭저럭 견딜만하다 밤이 되면 약속이나 한 듯 이곳저곳 뜨끔뜨끔 아팠다. 진통제를 먹고 통증 부위에 약을 바르며 남편에게 고통을 하소연했다.

그러나 눈만 마주치면 아프다고 찡그리는 아내를 지속적으로 이해해줄 남편이 얼마나 될까? 하소연한다고 덜 아픈 것도 아니고 자칫 서로 상처만 줄 듯싶어 '스스로 챙기자.' 다짐하며, 건강보조식품은 물론 틈틈이 걷기 운동도 하며 생각에 잠겼다.

평소 나는 건강에 자신 있었다. 초등학교부터 고등학교까지 12년 동안 10리 길을 걷거나 자전거로 통학했다. 그때 다져진 체력은 직장생활과 연년생 육아 그리고 고단한 이민생활까지 든든한 버팀목이 되었다. 그런 고마운 내 몸에게 감사는커녕 불만이 많았는데 다리가 긴 친구의 옷맵시나 눈이나 입매가 아름다운 사람을 보면 특히 그랬다. 더 나쁜 것은 크게 아파본 적이 없어 타인의 아픔을 이해하지 못했다. 겉으로는 듣기 좋은 말로 위로했지만 입원환자 이외에는 인내심 부족이라고 결론짓곤 했었다.

'젊었을 적의 내 몸은, 나하고 가장 친하고 만만한 벗이더니 나이 들면서 차차 내 몸은 나에게 삐지기 시작했고….'라는 박완서의 글처럼 누구에게나 믿었던 몸이 삐지는 시기가 있다. 여성의 그 시기는 50세 전후로 갱년기 무렵이라고 한다. 100세 운운하는 세상에 지금부터 몸이 부실하면 앞으로 어림잡아 30년 이상, 우리는 질병과 싸우고 화해하며 지내야한다는 결론이다.

내 몸은 정신과 조화를 이뤄 꿈을 이루어 주는 소중한 존재다. 긴 스커트가 어울리지 않는 짧은 다리는 목적지를 향해 부지런히 걸었고 웃는 모습이 예쁘지 않은 입 또한, 건강한 몸을 위한 일등공신임은 말할 필요조차 없다. 매순간 각자의 기능에 최선을 다하는 몸에 감사하며 지금부터라도 몸의 신호를 겸허하게 받아들여야겠다. 생각이 많아 부담주지 말고 변화에 순응하며 건강하고 아름답게 2막을 살아야겠다.

호바트(Hobart)*에서

오월 첫째 주 일요일 아침, 집 공기가 갑자기 차가워져 침대 떠나기 싫다. 보통 4월 중순이면 남반구인 이곳은 가을인데 올해는 늦도록 덥더니, 간밤에 세찬 바람이 추위를 몰고 왔다. 집 전체를 보일러로 데우는 한국과는 달리 부분 난방에 의존하는 이곳은 그 주변을 떠나면 으슬으슬 기분 나쁜 추위가 어깨부터 움츠리게 만든다. 게으름 피우기 딱 좋은 날씨라 좀 더 머물고 싶지만 가뜩이나 짧은 낮 허비하면 저녁에 후회할 것 같아 서둘러 방을 나섰다.

따뜻한 물을 서너 모금 홀짝이니 어깨가 풀리면서 시린 가을 냄새와 함께 어느 해 연말에 다녀온 타즈매니아(Tasmania)가 그리워졌다. 타즈매니아는 호주 본토의 남단에 위치한 섬으로 호주에서는 보기 드물게 눈까지 내리는 지역이다. 그러나 겨울을 제외하고는 년 평균 17도인 환상적인 날씨를 자랑하는 청정지역으로 해산물과 맥주가 유명하다. 한국인들이 한번쯤 제주도로 여행 가듯 호주인들은 이곳의 여행을 꿈꾸는데 특히 은퇴자들에게 인기 있는 곳이라고 한다.

여름철 평균기온이 17~23도라는 말을 듣고 피서 차 꼭 한번 가고 싶었는데 마침 그곳에 살았던 친구를 알게 되었다. 그리고 여름의 절정인 년 말에 3박 4일 일정으로, 세 부부가 타즈매니아 주(州)의 주도(州都)인 호바트(Hobart)행 비행기에 몸을 실었다. 아는 만큼 보이는데 몇 년 동안 현지에서 살았던 든든한 친구 내외 덕분에 그곳의 비경을 마음껏 즐길 수 있었다.

숙박은 호텔 대신 교민이 운영하는 와이너리(Winery)에 짐을 풀었다. 포도밭 중턱에서 바라본 주변 풍경은 흑백 사진처럼 고요하고 친근했다. 보통 여름이면 포도송이가 한창 익을 때라 생각했는데 이미 수확을 마친 포도밭은 누릇한 잎사귀만 남아 고즈넉한 분위기를 자아냈다. 주인 부부도 합세한 저녁 식탁은 그 댁에서 수확한 포도로 만든 와인이 맛과 정겨움을 더했다.

홈 메이드냐고 물었더니 보통 제조 회사가 완성된 와인에 상표를 부치기 전에, 특별히 농장주에게 필요한 만큼 도매가격으로 공급해 준다고 했다. 설명을 듣고 보니 한모금마다 그 부부의 노고가 깃든 것이어서 보약처럼 소중하게 느껴졌다. 서로의 이민 생활을 토로할 때는 동포애로 엮여 우정을 다졌는데 역시

술 힘이 컸던 것 같다. 주인 내외가 정성스럽게 마련한 잠자리는 적당한 취기와 피곤함으로 고향집 아랫목 같았는데 브리즈번의 12월에서는 상상조차 할 수 없는 쾌적한 밤을 보냈다. 아침에 만난 안개 덮인 와이너리의 풍경과 뒤뜰의 줄장미 그리고 그 모든 풍경과 묘하게 어울리는 된장찌개와 커피 향은 지금도 코끝을 맴돈다.

한국식으로 든든하게 해장한 우리는 호바트의 명소인 부르니 아일랜드(Bruny Island)를 향해 페리를 탔다. 그곳의 백미(白眉)는 트루가니니 전망대(Truganini Look out)인데 탁 트인 바다와 아름다운 섬을 관람할 수 있다고 했다. 그러나 당장 우리의 관심을 끈 것은 썰물로 바닥이 드러난 해변이었다. 마치 씨앗을 뿌려 싹이 난 것처럼 조개가 많아 방문객들은 바지를 걷어 올린 채 조개잡이에 열중했다. 우리도 합류하여 잠깐 즐기다가 목적지인 전망대로 향하는데 진입로 옆에는 작은 구멍의 펭귄 서식지가 군데군데 있었다. 그곳의 주인인 펭귄들을 위해 정숙할 것을 당부하는 안내문을 읽으면서 소란피우며 그들의 식량일지 모르는 조개를 잡은 것이 미안했다.

시내에서 멀지 않아 이 섬에 여러 번 왔다는 안내인 격인 친구는, 항상 날씨가 좋아올 때마다 좋았는데 오늘은 안개가 자욱하여 좋은 볼거리를 놓쳤다며 아쉬워했다. 안개 덕분에 더 운치 있다고 위로하며 한 칸 두 칸 계단을 오르는데 앞사람의 어렴풋한 실루엣과 가쁜 숨소리, 탄성만 겨우 들렸다. 전망대의 여정(旅程)이 동화 『잭과 콩나무』의 배경 같다는 생각이 들었다.

주인공 잭은 콩 나무를 타고 우리는 앞사람의 실루엣만을 쫓다가 전망대 대신 잭이 만난 하늘나라에 도착하는 건 아닌가라는 엉뚱한 상상도 했다. 바람이 차가워 옷매무새를 고치며 한숨 돌릴 겸 뒤 돌아보니 아! 거기엔 짙은 해무(海霧)가 연출한 태곳적 장엄함과 고요함이 있었다. 희뿌연 안개는 사방을 품다가 바람 불면 언뜻 언뜻 감질나게 보여주고 부드러운 물기로 이마를 서늘하게 식혀 주기도 했다. 몽환적 분위기에 사로잡혀 있는데 "이제까지 본 것 중 최고다."라는 누군가의 감탄사로 마법이 풀린 듯 현실로 돌아올 수 있었다.

이미 넋이 나갈 정도의 진풍경을 감상한 우리는 나머지 일정인 섬 일주(一周)는 상대적으로 별다른 감흥을 느끼지 못하고 시내로 왔다. 그곳에서 한인 슈퍼를 운영하는 교민 분이 오랜만에 호바트를 방문한 우리의 안내자인 친구 내외와 우리를 위해, 고깃배에서 전복과 킹 크랩(King Crab)을 사왔다고 했다. 해산물이 유명한 곳이지만 가격이 좀 비싸다는 이야기를 많이 들었는데, 현지 물정을 잘 아는 슈퍼마켓 사장님 주선으로 특별히 싱싱한 음식을 먹게 되었다. 모두 안내자인 친구와 손님을 정성으로 대접하는 한국 정서 덕분이었다.

숙소로 가져온 해산물을 일행 중 한 분이 솜씨 좋게 요리했고 옛 친구의 방문을 환영하러 교민 서너 분이 늦은 저녁에 합류했다. 그동안의 안부와 덕담 속에 멋있고 맛있는 밤은 깊어갔다. 타지에서 만난 동포들로부터 분에 넘치는 환대를 받으니 주인공인 친구 내외의 성품을 짐작할 수 있었다. 참으로 부지런하고 긍정적이며 정이 많은 사람들이니 어디서든 누구에게나 환영 받는 것은 당연했다. 그런 친구와 50대 이후를 함께할 수 있다고 생각하니 은근 위로가 되며 나를 점검하는 계기가 되었다. 2박 3일, 짧은 시간이었지만 자연의 선물은 경이롭고 위대했으며 인정은 행복과 감동을 주었던 귀한 시간이었다.

*호바트(Hobart): 타즈매니아(Tasmania)주(州)의 주도(州都)

론세스톤(Launceston)*에서

타즈매니아의 주도(州都) 호바트에서 2박 3일 일정을 마치고 우리 일행은 북쪽 도시 론세스톤(Launceston)으로 향했다. 와인글라스 베이(Wineglass bay)와 세인트 클레어 호수(Lake St. Clair) 그리고 설악산보다 4.5배 크다는 웅장한 크래딜 마운틴(Mt. Cradle)을 보기 위해서였다. 이 구간을 제대로 즐기려면 보통 6일 정도 걸리는데 시간이 많지 않은 우리는 와인글라스 베이의 짧은 트레킹 코스를 즐긴 후, 클레어 호수 주변 산장에서 1박하고 크래딜 마운틴 정상을 등반하기로 했다.

일행 중 현지에 살았던 친구가 크래딜 마운틴을 설명하며 설악산 운운하니 수학여행 시절이 생각나 가볍게 콧노래를 부르며 이야기꽃을 피웠다. 일정에 얽매일 것도 없고 목적지까지는 세 명의 남자들이 내비게이션의 안내를 받아 안전하게 도착할 것이니, 세상에서 가장 편한 자세로 수다를 즐겼다.

고국의 가족이야기를 하며 눈시울을 적시다가 갑자기 화제가 바뀌어 연애 시절로 돌아가는가 하면 미래에 대해 결의를 다지기도 했다. 그러다 문득 창 밖 풍경을 보며 꽃, 하늘, 강, 바람, 나비 등 눈에 띄는 대로 연상되는 노래를 부르며 깔깔거렸다. 어떤 길모퉁이의 라벤더 농장에서는 한껏 포즈를 잡고 보랏빛 향기에 흠뻑 젖기도 했다. 흰 양귀비꽃이 목화 솜 같아 눕고 싶은 곳을 만나기도 했는데, 대부분의 농장들은 상상을 초월할 만큼 크고 아름다워 쉴 새 없이 탄성이 나왔다. 어느 곳이든 셔터를 누르기만 하면 영화 속 한 장면처럼 걸작이 되었다.

점심을 위해 찾은 해변 가의 식사는 호바트에서의 식사만큼 신선하진 않았지만 그런대로 괜찮았고 호젓한 카페의 커피 맛은 황홀했다. 분위기에 취해 느슨하게 제1목적지인 와인글라스 베이를 향하던 중 "숙소는 몇 시에 도착 하지?"라는 누군가의 현실적인 질문에 정신 차린 우리는 발걸음을 서둘렀다. 목적지까지 가려면 예상보다 시간이 많이 걸릴 것 같아 그 호수는 상상에 맡기고 서둘러 하산했다.

세인트 클레어 호수 가는 길은 점심식사와 산책으로 나른하여 슬쩍슬쩍 졸았다. 운전자와 조수석에 앉은 사람은 초행길이라 긴장하는데, 드러내놓고 졸기가 미안해서 서너 번 고개를 떨어뜨리다 시계를 보았다. 도착 예정 시간인 4시가 훨씬 지났는데 여전히 길 위에 있는 것이 뭔가 이상해서 주변의 안내 센터를 찾았다.

그곳의 직원은 지도에서 현재위치를 가리키며 저녁 6:30분쯤이면 도착할 수 있을 거라고 친절하게 설명했다. 애써 불안감을 감추고 의기투합하며 목적지를 향하는데 지대가 높아서인지 풍경이 점점 황량했다. 지리산의 고사목 지대 같은 곳이 펼쳐지는가 하면 이끼류와 작은 침엽수만이 시린 바람을 견디는 곳도 있었다. 그런 환경에서도 여전히 꽃은 피어 흔들리는 모습이 경이로웠다.

그렇게 조마조마하며 예상시간보다 훨씬 늦은 8시쯤 주소지에 도착했다. 그런데 우리를 기다리고 있는 것은 맑은 호수 옆의 산장이 아닌 산의 8부 능선쯤 작은 호텔이었다. 고개를 갸웃거리며 호텔에 들러 상황을 설명했더니 "아뿔사!" 그곳은 우리의 목적지인 세인트(Saint) 클레어 호수가 아닌 크래딜 마운틴의 클레어 스트릿(Street)이었다. 세인트와 스트릿은 둘 다 약자 'St'로 표기한다. 고유명사 앞에 붙는 'St'는 성인(Saint, 聖人)을 의미하고 뒤에 붙는 'St'는 도로(Street)를 가리킨다. 기분에 들떠 앞의 세인트(St)는 무시하고 평소처럼 뒤의 스트릿(St)만을 기준 삼아 길을 찾은 것인데, 공교롭게도 크래딜 마운틴에 클레어 스트릿이 있어 호수가 아닌 산으로 온 것이었다.

사태를 파악한 직원은 우리 같은 손님들이 종종 있다며 현지점에서 호수까지는 두 시간 이상 걸리고 밤이면 위험하니 근처에 숙박할 것을 권했다. 연말 황금 휴가철, 론세스톤에서 가장 유명하다는 그 산 속에 빈방이 있을 리가 없었다. 억지웃음으로 서로를 위로한 후 숙박 장소를 물색했는데, 다행히 더블과 싱글침대가 각각 1개씩 있는 방 1칸을 겨우 구할 수 있었다. 방 1칸에서 6명이 자야 하는 초유(初有)의 사태에 직면한 우리는 문화인으로서의 양심은 깨끗이 버리고, 침착하게 둘씩 10분 간격으로 입실을 완료했다.

한숨 돌리고 나니 배가 고팠는데 상점들의 문은 이미 닫혀있었다. 한국의 관광지라면 새벽까지 떠들썩할 텐데 그곳은 성지(聖地)인 양 묵직하고 고요했다. 뜻밖에 다이어트 해야 할 서글픈 아내들을 위해 남편들은 나뭇가지로 젓가락을 만들고 차 안에서 먹을 수 있는 것들을 모두 가져와 나름 성찬(盛饌)을 즐겼다. 호수 산장에서의 달콤하고 로맨틱한 잠자리 대신 6명이 혼숙한 그날 밤, 누군가 침대에서 바닥에 자던 친구의 배 위로 떨어지는 황당한 사건도 있었다. 하지만 그 모든 것이 우정을 단단케 하는 추억이 되었음은 말할 필요조차 없다.

다음날 중무장한 우리는 손을 호호 불며 서리 덮인 산을 올랐다. 우리의 목적지는 도브(Dove)호수 전경(全景)을 굽어보는 마리온스 전망대(Marions lookout)였다. 오랜만에 머리가 맑아지는 차가움을 느끼며 10분 쯤 걷자 산이 숨긴 호수의 모습이 보였다. 산과 코발트색 호수와의 조화만으로도 가슴이 울렁이는데 혹독한 추위를 견디며 꽃을 피운 야생화 무리는 애잔함을 더했다.

일행은 전망대로 향하고 남편과 나는, 적당히 호수의 전경을 볼 수 있는 지점에 오붓하게 앉았다. 거대한 산의 정상쯤에 자리 잡은 도브 호수는 이름처럼 비둘기 모양이었고 상징처럼 평화로웠다. 서늘한 바람을 맞으며 푸른 호수를 대하는데 뜻밖에 눈물이 흘렀다. 호곡장(好哭場), '울기 좋은 곳'이라는 단어가 문득 떠올랐다.

조선후기, 연암 박지원 선생은 꿈에 그리던 중국을 방문했다. 당시 조선의 관념적 지식인이나 위정자들은 '오랑캐 나라'라며 중국을 경멸했지만, 그는 백성들을 위해서라면 선진국의 앞선 문화와 제도를 배워야 한다는 원대한 꿈과 애민의식을 가진 선비였다. 일행이 요동 벌판에 도착했을 때 그 광활함을 접한 그의 첫 마디는 "호곡장(好哭場)"이었다.

왜 그는 그토록 원했던 요동 벌판에서 호탕한 웃음대신 울음타령을 했을까? 세상은 넓고 배워야 할 것은 많은데 위정자들의 안일함으로 백성들이 도탄(塗炭)에 빠진 현실이 애석하고 안타까웠을 것이다. 또 한편으론 새로운 문명을 대할 벅찬 감동때문이었으리라. 그는 광활한 벌판에서 막 태어난 갓난아기처럼 통쾌하게 울고 싶었고, 난 아름답고 평화로운 호수를 보며 그동안 잘 버틴 이민 생활이 기특하고 대견스러워 소리 없이 울었다.

한바탕 흘린 눈물로 개운해진 나는, 가뿐하게 전망대를 다녀온 일행과 합류하여 하산했다. 그리고 그 웅장한 크래딜 마운틴과 작별하고 산(山) 닮은 기상과 부처님 같은 넉넉한 얼굴로 귀가를 위해 론세스톤 공항을 향했다.

여행은 호기심으로 출발하지만 여정(旅程)을 통해 자신을 성찰할 수 있어 좋다. 대 자연 앞에서 순수와 겸허함을 배우고 뜻밖의 사건을 통해 자신감을 회복하는 계기도 만난다. 더군다나 목적지를 제대로 찾지 못해 6명이 같은 방에서 하룻밤을 보낸 덕분에 매사에 신중해야한다는 교훈도 얻고 잊지 못할 유쾌한 추억도 만들었다. 이번 여행을 통해 축적된 에너지는 내면의 성숙을 돕고 일상을 활기차게 할 원동력임을 믿어 의심치 않는다.

*론세스톤(Launceston): 타즈매니아 주에서 두 번째로 큰 도시, 북쪽에 위치해 있다.

거리 두기

코로나(COVID-19) 사태로 웬만한 상점은 영업을 중지했는데 이 와중에도 연일 붐비는 곳이 몇 군데 있다. 슈퍼마켓과 집 관리에 필요한 자재 일체를 판매하는 버닝스 웨어하우스(Bunnings Warehouse)가 대표적이다. 전염병 차단을 위해 외출을 강력하게 규제하니 가족과 함께 요리하고 집안 구석구석을 손보는 사람들이 많아졌기 때문이다.

남편은 강한 여름 햇빛으로 갈라진 나무 계단을 손보기 위해, 난 비 소식이 있어 꽃모종 몇 포기 사려고 가까운 버닝스 매장에 갔다. 소문대로 입구에는 많은 사람들이 사회적 거리인 1.5m를 유지하며 차례를 기다렸다. 마스크 착용을 달갑게 여기지 않는 분위기여서 이 규칙만큼은 확실히 지키는 모양새다. 기다리는 것에 익숙지 않은 난 남편의 팔을 잡아끌며 평일에 다시 올 것을 제안했지만, 웬만하면 계획대로 일을 진행하는 그는 내 손을 뿌리치고 줄에 합류했다. 그렇게 20여 분을 기다려 각자 원하던 것을 사왔다.

비 오기 전에 모종을 심으려고 서둘러 땅을 고른 후 재배 정보를 꼼꼼히 읽었다. 파종 시기, 햇빛의 정도, 구덩이의 깊이 그리고 식물간 적당한 거리와 물 주기가 포장지에 자세히 표기되어 있다. 모든 정보가 다 중요하지만 식물간 거리는 특히 중요해 너무 가까우면 서로의 그늘 때문에 약한 것은 도태되고, 너무 멀면 결실이 보잘것없다. 잦은 경험으로 그걸 알지만 제대로 지키지 않아 번번이 솎아내고 채우는 수고를 더했다. 오늘은 정보대로 모종을 심으며 사람과의 거리 특히 남편과의 거리에 대해 생각해 본다.

우리는 3년 연애 끝에 더 이상 거리 지키기가 어려워 결혼했다. 가정을 이루고 연년생으로 사내아이들이 태어나면서 난 그의 도움이 절실했다. 직장에서 때론 출장으로 바쁜 그가, 어쩌다 휴일을 맞아 아이들을 돌보면 선물처럼 반가워 다음 휴일을 손꼽아 기다렸었다. 늘 가까이 있기를 바랐던 시절이었다.

아이들이 웬만큼 성장했을 때 우리는 각자 뭔가를 성취하기 위해 최선을 다했다. 덕분에 모든 관계가 특별히 신경 쓰이지 않을 만큼 따로따로 적당히 행복했다. 그러다가 아이들 먼저 이곳에 유학생으로 왔고 3년 후 우리도 합류했다. 한참 예민한

시기에 해외에서 학업과 진로문제로 힘들어하는 것이 안쓰러웠는데, 다행히 자립심 강하고 부모 입장 헤아릴 줄 아는 반듯한 젊은이들로 자랐다. 거리 두기 덕분이었다.

문제는 남편과의 거리다. 24시간 함께 있으니 서로를 너무 잘 알게 되었는데 그는 지독한 일개미고 난 베짱이였다. 그의 지향점은 노후 경제적 자립으로 자신의 정년퇴직을 70세라고 선포하며 노골적으로 내 삶을 압박했다.

난 노후보다는 현실이 중요하며 생업과 하고 싶은 일의 비중을 50:50으로 제안했다. 호주는 사회보장제도가 잘 되어 있는데 무엇 때문에 70세까지 일에 목매야하는지를 따졌다. 여기까지만 했으면 좋았을 텐데 마뜩잖은 제안에 가뜩이나 심기가 불편한 그에게 "일과 살림은 대충하면서 돈 안 되는 책읽기나 글쓰기에 매달리는 내 꼴이 미워서 입만 열면 일 타령이지? 그래도 난 자기개발이라는 명분이라도 있지. 당신은 허구한 날 술에 유튜브에 날밤을 새고 있으니 그게 뭐야? 70세까지 일한다는 사람이 그렇게 건강을 돌보지 않으면 어떻게 일해? 실천 없이 말만 앞세우면 누가 당신을 신뢰해서 동참하겠어?"라며 각을 세웠다.

뱉어놓고 보니 좀 미안한 생각이 들어 장녀의 리더십으로 그를 다독이며, 칼릴 지브란(Kahlil Gibran)의 시를 소개했다. '함께 있되 그대들 사이에 거리를 두어라. 그래서 하늘 바람이 그대들 사이에서 춤추게 하라'[1]는 구절을 인용하며 거리두기의 절실함을 설명했다.

"듣던 중 반가운 소리, 당장 물리적 거리부터 실천하자."며 기다렸다는 듯 튀어나온 그의 대답은 '잘 살아 보자'는 좋은 의도의 거리 두기가 기(氣) 싸움으로 변한 형국이 되었다. 맞받아치면 본질과 멀어질까봐 그의 뜻에 합의하고 각자 방 안으로 들어갔다. 잔소리에서 해방된 그는 당분간 자유를 만끽할 것이다. 주말 저녁이면 TV를 크게 틀고 좋아하는 와인과 유튜브 시청을 즐기며, 전화기와 함께 잠들거나 밤새 불을 켜도 간섭하지 않으니 천국 같을 것이다.

그러나 난 믿는다. 그 자유는 어떤 날 내 잔소리를 사무치도록 그리워할 것이며, 혼자만의 천국보다는 티격태격 서툴게 엮어가는 일상의 소중함을 깊이 생각하는 계기가 될 것이다. 무엇보다 자신의 목표인 70세까지 일할, 더 없이 괜찮은 파트너를 잃을지도 모른다는 불안감에 서둘러 내 방문을 노크할 것이다. 그때 우리는 좀 더 성숙하고 진지하게 현재와 미래에 대해 합의점을 찾을 것이다. 철저한 사회적 거리가 생명을 구하듯, 우리 역시 각자의 거리를 유지하며 서로를 존중할 때 함께 성장할 수 있고 이해와 배려가 충만한 삶을 누리게 될 것이다.

---

1)오동성 역 『예언자』 나마스테, 2014, p 29~30.

복숭아는 그리움이다

초여름, 한바탕 열정을 터트린 포인시에나의 붉은 꽃이 아쉬움에 머뭇거리면 인디언 핑크 계열의 배롱나무가 배턴(Baton)을 받는다. 이때쯤이면 한여름으로 슈퍼마켓의 과일 코너도 메론(Melon)류와 복숭아 같은 여름과일로 가득하다. 복숭아는 솜털이 보송보송한 피치(Peach)와 껍질이 반들반들한 넥타린(Netarin)으로 크게 분류하고 색상에 따라 황도와 백도로 구분한다. 초여름부터 선보이는 이 과일은 제철이면 kg당 4불로 아주 싸고 맛있다. 특히 넥타린 백도를 좋아해서 틈틈이 크게 한 입 우물거리며 '나의 살던 고향'을 기분 좋게 흥얼거린다.

바둑판같은 논과 도랑에 둘러싸인 내 고향 수장리(水長里)는 논농사 위주라서 과수원은 많지 않았다. 그러나 30분 정도 걸어가는 초등학교 길목에는 과수원이 많아서 계절의 정취를 느끼고 어렵지 않게 과일을 먹을 수 있었다. 학교를 중심으로 동서남북 5리(里) 안의 마을 어린이들이 같은 학교를 다녔는데 시골이다 보니 부모님들의 생업이 농사가 많았다. 같은 농사라도 마을의 입지 조건에 따라 논농사, 밭농사 그리고 과수원 등 그 형태가 조금씩 달랐는데 친구들 사이에서 가장 인기 있는 것은 과수원 농사였다.

과수원 집 딸들은 하얀색 자두꽃이나 복숭아, 살구꽃 가지를 예쁘게 담아 교탁을 장식하거나, 잘 익은 과일들을 선생님께 진상(進上?)해서 칭찬을 독차지하니 부러움의 대상이었다. 선생님뿐만 아니라 우리에게도 몇 가지 기쁨을 주었는데 그 첫째가 풋 복숭아 간식이었다.

복사꽃 진자리에 다닥다닥 열매가 맺혀 밤톨만 하면 양질의 수확을 위해 솎음 과정이 필요했다. 과수원 집 친구들은 버려진 어린 복숭아에 설탕을 하얗게 뿌려 학교에 가져왔는데 간식이 귀한 시절이라 그 먹거리는 무척 인기가 많았다. 그리고 몇 주후, 열매가 제법 굵어지면 해충과 강한 햇빛에 껍질 트는 것을 예방하기 위해 봉지 씌우기를 했다. 주변 열매들 중 큰 것 몇 알만 남기고 아낌없이 솎아낸 후 열매 간 거리에 신경 쓰며 일일이 손으로 봉지를 쌌다. 이 작업은 까다롭고 시간이 오래 걸려 복숭아 농가의 부모님들을 힘들게 했지만 그런 현실적인 어려움을 몰랐던 철부지 우리는 그저 먹을 궁리만 했다. 처음 먹은 어린 복숭아가 설탕 맛이었다면, 마지막 단계인 이 풋 복숭아는 제법 맛도 들고 살도 실해서 휴식시간마다 몇 개씩 집어먹고 봄 내 기분 좋은 배앓이를 했었다.

이외에도 용돈 벌기와 부모님들의 간섭 없이 친구 집에서 하룻밤 잘 수 있는 특혜도 누렸다. 단계별로 사람손이 많이 필요한 이 농사는 우리 어린 것들의 도움도 요긴했다. 특히 봉지 씌우기는 시간이 많이 걸려 주중에는 어른들이 일하고 2주간의 일요일은 품삯이 싼 우리들 차지였다. 일요일 아침 일찍부터 일 해야 해서 토요일 저녁 친구 집에 모인 우리는, 한밤중에도 잠들지 않고 킥킥거리며 무슨 이야기를 그렇게 많이 했는지 지금 생각해도 미소가 번진다.

사다리에 올라 까치발까지 하며 어렵게 씌웠던 봉투가 누르스름하게 변해 수확 때를 알리면 우린 또 한 번 당당하게 주말 합숙을 했다. 일을 마치고 집으로 가는 길은 스스로 대견하고 뿌듯해 발걸음을 재촉했다. 품삯 이외에 상품 가치가 떨어지는 과일들을 친구 부모님이 덤으로 한 자루씩 주셔서 마음이 더 급했었다.

제때에 막 수확한 복숭아는 정말 맛있었다. 너무 익어 물렀거나 새나 벌레가 먹어 외관은 형편없지만 달콤하고 부드러운 맛은 뭐라 형언할 수 없었다. 살짝 껍질 벗겨 한입 물면 과즙이 손목을 타고 줄줄 흘렀는데 그것조차 맛있고 아까워 깨끗이 핥으면서 행복했었다. 선과(仙果)라 했던가? 얼마나 맛있으면 신선들이 먹는 과일이라 했을까? 그땐 몰랐지만 참으로 적합한 표현인 것 같다.

몇 해 전 여름, 둘째 동생이 큰 수술을 받고 아버지와 같은 요양병원에 입원했었다. 그곳의 6층은 장기, 9층은 단기 요양원으로 운영되어 그녀는 9층에 입원해서 아버지가 계신 6층을 수시로 들락거렸다. 당시 동생은 아프거나 불편하지 않아 낮에는 아버지의 휠체어를 밀고 다니며 병원 측에서 운영하는 프로그램에 참가하며 소일했다.

바람이 선선해지는 저녁 무렵, 부녀(父女)는 기다렸다는 듯 외출복으로 갈아입고 역시 휠체어를 밀며 복잡한 주변 골목을 누볐다. 산책에서 돌아오는 길에 동생은 항상 아이스크림과 품질 좋은 백도 두 개를 샀다. 치매를 앓고 계신 아버지였지만 미각은 여전해서 하룻밤에 한 개씩 맛있는 백도와 아이스크림을 즐기면서 짧은 여름밤을 꿈처럼 보내셨다.

사진 속 복숭아를 즐기는 아버지의 눈빛은 너무나 의욕적이어서 휠체어가 어색할 정도였다. 담배와 삼시세끼 식사 이외에는 늘 자식들에게 사양했던, 그래서 그 연세가 되어도 그가 무슨 음식을 좋아하는지 몰랐던 우리는, 늦게나마 즐기시게 된 당신만의 간식을 한 마음으로 축복했었다.

사물에 대한 의미는 사람마다 다르다. 장미 한 송이가 어떤 이에게는 낭만이고 아름다움이며 또 누군가에게는 빵이고 괴로움일 수 있다. 내게 복숭아는 그리움이며 눈물이다.

2.

꽃 머문 자리

꽃 머문 자리

최근 독립한 둘째 아들 집 방문이 주말 행사가 되었다. 몇 년간 열심히 저축하여 작은 집을 마련했는데 정원이 넓은 편이어서 우리의 도움이 필요하다. 전 주인이 나름 잘 관리했지만 수종(樹種)이 우리 취향이 아니라 일부 베어내고 우애 좋은 형제처럼 오순도순 흰 꽃이 피는 플루메리아(Flumeria)란 꽃나무를 심었다.

더운 여름에 심어 걱정했는데 틈틈이 물주고 다행히 비가 잦아 별 탈 없이 자리를 잡은 것 같았다. 경험상 묘목은 심은 지 한 해가 지나야 꽃이나 열매를 볼 수 있어 올해는 기대하지 않았는데, 새색시처럼 고운 자태로 마당 한 귀퉁이를 환히 밝히는 것이 집 주인의 밝은 미래 같아 반갑고 기특했다.

나무 꽃이든 풀꽃이든 꽃을 좋아하는 난 세월과 사건을 꽃으

로 셈하며 기억한다. 눈 속의 붉은 동백부터 매화 흐드러진 섬진강을 조바심 내고 다녀오면 봄은 금세 내 뒤를 쫓아왔다. 우윳빛 뽀얀 목련이 조심스레 그 우아한 자태를 뽐내면 기다렸다는 듯 꽃샘추위가 왔고 라일락과 넝쿨장미가 5월을 알렸다. 학교는 소풍과 축제로 들떴고 라일락 그늘에선 젊은이들의 속삭임이 꿈같았다.

여인네 버선 닮은 봉우리가 팝콘처럼 터지는 아까시 계절이 되면 기다리던 여름방학이 왔다. 텃밭에는 오이, 참외 꽃이 별처럼 반짝였고 가지 꽃은 흰색과 보라색이 절묘했다. 무더위와 소낙비를 견디며 해쓱하게 자란 봉숭아 꽃물을 손톱에 올리며 '첫눈이 올 때까지 지워지지 않으면 사랑이 이뤄진다.'는 말에 손톱보다 얼굴이 더 빨개지던 시절도 있었다.

굵직한 벼 포기에 희끗희끗 먼지 같은 꽃이 피고 코스모스 한들거리면 박꽃처럼 정갈한 가을이 왔다. 바쁠 때는 '부지깽이도 한몫한다'는 추수의 계절, 늦가을 산하(山河)는 꽃만큼 아름다운 단풍과 국화가 풍요로웠다. 서리 내린 아침 등교 길에서 마주친 국화는 왠지 모를 서글픔으로 어린 마음을 종일 심란하게 했었다. 이렇게 계절은 순환하며 만물과 감성을 성장시키고 그 중심에는 늘 꽃이 있었다.

그 취미는 이곳에서 더 유별났는데 결핍을 충족키 위한 뭔가가 간절히 필요했던 것 같다. 영하(零下) 없는 날씨는 식물에겐 더 없는 축복인데 강한 햇빛에 적응된 두꺼운 잎을 달고 우람하게 서 있는 나무들을 보면 개선장군 같다. '저 나무에도 꽃이 필까?' 호기심을 갖고 지켜보면 어떤 날 문득, 마법의 세상이 펼쳐진다.

잎보다 먼저 보라색 꽃을 선보이는 자카란다가 그렇고 이 땅의 사람들만큼이나 열정적인 포인시에나의 붉은 빛이 그렇다. 프랜치페니의 다양한 빛깔과 향기는 이방인을 유혹하기에 충분하고 울타리 역할인 머라야의 사랑스러운 흰 꽃 또한 그렇다.

키 재기 하는 나무도 많지만 어깨동무하며 자라는 덩굴 꽃도 많은데 사시사철 갖가지 색으로 주변을 장식하는 부겐베리아가 대표적이다. 웬일인지 장미가 많지 않은 이곳에서 줄장미 역할을 하는 이 꽃은 향기는 없지만 화려함과 강인한 생명력만큼은 으뜸이다. 이름이 아름다운 자스민은 특별히 밤에 더 아름답다. 낮은 울타리를 수놓으며 별처럼 하얗게 피어 향기를 뿜으면 주변이 향 물에 목욕한 것 같은 착각을 일으킨다.

낯선 땅이라 해서 낯선 이름과 신기한 꽃들만 있는 것은 아니다. 여름내 담 주변을 기웃거리는 배롱나무와 쌀쌀한 날씨에 마주치는 동백나무는 한국에서 자주 만났다는 이유로 눈시울이 뜨거워진다. 국화, 채송화, 백일홍, 코스모스 심지어 도라지꽃도 있다.

이처럼 꽃은 책만큼이나 큰 관심사로 처음에는 예뻐서 또는 신기하다고 이런저런 이유로 욕심껏 사들였는데 서너 해가 지나자 나름 구매 기준이 생겼다. 우선 꽃이 아름다워야 하고 개화(開花)기간이 길어야 하며 지나치게 크게 자라는 것은 피하는데 꽃나무도 유행이 있는 것 같다.

새로운 묘목이 나오면 눈 밝고 행동 잰 사람이 호기심으로 심고 그 결과물이 아름다우면 근처의 누군가가 따라 심거나 이웃 간 포기나누기를 통해 그 동네의 심볼이 된다. 노인들이 많고 오래된 동네는 유난히 야자수나 키 큰 나무가 많고 아시안 밀집지역은 유실수와 초화가 많다.

아들이 사는 동네는 중년층이 많은 것 같은데 누군가 오가다 얌전하고 하얗게 핀 플루메리아를 볼 것이다. 그러면 우리처럼 그 꽃에 매력을 느껴 대문 앞이나 담장 밑에 한두 그루 심을 것이고 해를 더하면서 그 동네의 대표 꽃으로 자리 잡을 것이다. 더군다나 이 꽃나무는 꺾꽂이도 가능해서 가계부담도 크지 않고 생명력도 강하니 관심만 갖는다면 얼마든지 즐길 수 있다.

짙은 초록색으로 끝부분이 차(茶)스푼처럼 동그스름하게 생긴 잎을 가만히 바라보다 근처에 또 한 그루 심을 만한 자리를 찾았다. 조만간 외롭지 않게 한 그루를 더 데려 와야겠다.

나만의 방

한가로운 주말, 알람소리에 황급히 주방으로 뛰는 대신 마음껏 게으름을 즐기고 있다. 기지개켜며 부스스 일어나 책상에 앉으니 멋진 풍경화 같은 우리 동네 골목이 다정하게 알은체를 한다. 적당한 그늘을 가진 가로수들은 밤새 안부를 묻듯 부드럽게 흔들고 새들은 현란하게 날며 부지런히 동네 소식을 전한다.

가끔 차가 멈추고 누군가 내리면, 필시 대장격인 어떤 개의 우렁찬 선창으로 동네 개들이 합창한다. 옆집 노부부가 구부정한 어깨와 허리를 펴며 산책 나가는 것도, 뒷집 여드름 소년이 이어폰 낀 채 자전거를 타고 쏜살같이 골목을 빠져나가는 것도 내 방에서 감상할 수 있다.

우리 집의 1층은 대형 창고이며 2층은 방 3칸에 화장실 두 개 부엌과 거실이 있는 호주 소형 주택이다. 거기에 한 가지 더, 선룸(Sun Room)이란 자투리 공간이 있는데 이름처럼 햇빛이 가장 많이 머무는 곳으로 보통 오피스나 아이들 놀이방으로 이용된다. 우리 집 선룸은 긴 직사각형으로 앞면과 옆면은 큰 유리창으로 거실과 접한 출입구는 유리문으로 마감되어 있다. 아마 전 주인이 이 공간을 놀이방으로 이용하면서 보호자의 시야를 확보하기 위해 그렇게 만든 것 같다.

이사 와서 이 특별한 공간을 만났을 때 우리는 서로 이곳을 자기 방이라고 선포했다. 유리문만 적당히 막으면 아늑하고 탁 트인 밖을 내다보며 상상하는 재미가 쏠쏠할 것 같아서였다. 가위, 바위, 보로 주인을 정하려다 큰아들이 원해서 눈 질끈 감고 양보했었다. 그가 독립하자 남편이 관심을 보였지만 '아내 이기는 속 좁은 남자'라는 낙인이 부담스러워서인지 흔쾌히 양보해서 내 차지가 되었다.

우선, 화려한 천으로 유리문을 막아 거실의 시선을 차단하고 한 쪽 면은 책꽂이로, 또 한쪽 면은 마천루가 즐비한 뉴욕의 밤풍경 사진을 걸었다. 그리고 책상과 안락의자를 적당히 배치해서 누구에게도 방해 받지 않는 나만의 방을 갖게 되었다. 잡다한 집안일로부터 해방되고 싶을 땐 문만 닫으면 훌륭한 도피처가 되고 정신수양을 돕는 도량(道場) 역할도 한다. 오늘처럼 책상에 턱 괴고 게으름을 즐길 때면 타임머신이 되어 추억 속으로 안내하기도 한다.

어렸을 적, 우리 집은 방이 두 칸뿐이어서 안방은 부모님이 쓰고 작은 여닫이문을 경계로 윗방은 네 명의 오누이들이 지냈다. 우리는 이불을 뒤집어쓰고 귀신 놀이나 베개 싸움을 하는 등 매일 매일을 축제처럼 지냈는데, 중학교에 입학하면서부터 웬일인지 그 분위기가 싫었다. 그래서 틈만 나면 내 방을 만들어 달라고 졸랐더니 부모님은 마루 한 귀퉁이를 이불커버로 막아주었다.

비록 임시방편인 보잘것없는 공간이었지만 혼자 있으면서 앉은뱅이 밥상을 놓고 밥도 먹고 숙제도 하며 더러 책도 읽었다. 그러나 그것도 잠시, 여름에는 모기와 해충이 들끓고 겨울이 되면서 기온이 떨어져 더 이상 그곳에 있을 수가 없었다. 제 발로 나갔다가 다시 돌아온 꼴이 된 나는 자존심이 상해 퉁퉁 부운 얼굴로 다녔는데, 친구로부터 시험기간에 자기 집에서 함께 공부하자는 제안을 받았다.

친구네 집은 대궐처럼 넓고 쾌적했는데 가장 부러운 것은 번듯하고 아기자기한 친구 방이었다. 집안의 막내인 친구는 방해꾼이 없어서 주말만 되면 공부를 핑계로 그 방에 머물렀는데, 당시 나에게는 자기 방의 유무(有無)가 행과 불행의 가늠자였었다. 그러다 마침내, 나만의 방을 갖게 된 것은 결혼과 함께였다.

방 3칸짜리 주공아파트는 신혼부부에게 궁전이었으나 연년생으로 아이들이 태어나 내 책상과 꿈은 또 갈 곳을 잃었다. 지치고 적당히 포기하고 때론 실낱같은 희망에 매달리며 세월은 강물처럼 흘러 지금 이곳, 거울 앞에 선 누님처럼 동그마니 내 방에 앉아 한 줄 한 줄 서툴게나마 꿈을 낚고 있다.

젊은이들의 멘토로 유명한 김난도 교수는 결혼하는 여성들에게 자기 책상과 자기 시간 갖기를 제안했다. 이는 1920년대, 남성 지배 문화에서 소외된 여성의 목소리를 대변했던 버지니아 울프(Vorginia Woolf)의 생각과 일맥상통한다.

시공을 초월하여 꾸준히 제기되었던 여성들의 자기만의 공간은, 틈틈이 내면의 소리에 귀 기울이며 자신의 행복을 가꾸는 창의적이며 생산적인 곳을 의미한다. 이러한 공간은 비단 여성뿐만 아니라 군중 속에서도 외로움을 느끼는 모든 이들에게 꼭 필요한 곳이라고 생각한다.

늦은 감은 있으나 우여곡절 끝에 마련한 나만의 공간, 그래서 더 소중한 이곳에서 훨훨 나는 새처럼 자유와 평화를 누리고 있다. 그리고 나답게 살기 위해 고민하고 노력하는 중이다.

도전! 친정엄마의 카톡 글쓰기

"아ㄴ영 밤새자ㄹ잣니."

초등학교 저학년 학생이 쓴 것 같은 문장이 단체 방으로 날아왔다. 친정 엄마가 공들여 쓴 아침 인사다. 메시지를 확인한 둘째 동생이 "응, 엄마도 잘 잤어? 엄마, 자판 연습 중이네. 둘째 딸이라고 써 봐."라고 주문했다. 이어지는 카톡 소리와 함께 "두째달 최고."라는 회신이 왔다. 그러자 막내 남동생이 "둘째 누나만 최곤가, 나는?" 한마디 던진다.

잠시 후 "아드ㄹ 어제나 초ㅣ고."라는 글자가 매끄럽지 않은 자태를 드러내며 수줍게 서 있다. 장녀인 나와 셋째 동생까지 가세하여 "나는, 나는?" 하니 "크ㄴ달은 드ㄴ 드ㄴ 세재는 시위ㄴ 배."라는 번역이 필요한 문장이 도착했다. 그와 동시에 카톡 방은 이모티콘이 작렬하고 'ㅋㅋㅋ'와 'ㅎㅎㅎ'로 웃음꽃이 만발

했다.

아침 인사와 함께 날아온 친정엄마의 메시지를 정리하면 "큰 딸은 든든하고 둘째 딸은 최고며 셋째 딸은 갈증을 해소해 주는 시원한 배 같은 존재, 그리고 하나 밖에 없는 아들은 언제나 최고."라는 것이다. 아침부터 꽤나 애쓴 엄마의 문장이 우리에게 큰 웃음과 에너지를 선물하고 엄마는 성취감에 뿌듯할 것이니 가르친 보람을 느꼈다.

엄마는 지금 시드니의 막냇동생 집에 계신다. 작년에 수술한 무릎이 생각처럼 쉽게 낫지 않고 요양원에 계신 아버지마저 편치 않다는 소식을 듣고부터 뜬금없이 아들 타령 하며 우울해 했다. 그래서 부랴부랴 주선하여 시드니에 오게 되었고 동생의 극진한 보살핌을 받으며 예전 컨디션을 회복 중이다.

그녀가 시드니에 도착한 지 이 주일 후, 2박 3일 일정으로 동생 집을 방문하면서 엄마를 위해 '카톡에 글쓰기'를 가르쳐야겠다고 마음먹었다. 우리끼리 단체 방에서 이야기를 나누면 당신도 보고 있다는 표시로 'ㄱㄴㄷㄹㅋ…' 등과 같은 자음(子音)을 암호처럼 보냈다. 어느 때는 새벽에 불쑥 의미 없는 글자를 남겨서 '혹시 밤새 무슨 일이 생겼나?'라며 걱정할 때도 있었는데 그럴 때마다 답답해서 카톡에 글쓰기를 권했다. 그러나 혼자 살며 기계치인 그녀는 비싼 휴대폰을 잘못 만지면 그나마 읽을 수도 없게 될 것 같은 불안감에 아예 시도조차 못했다.

그런 상황이 늘 마음에 걸렸는데 마침 둘 다 집 떠나 홀가분한 상태니 가르치기에는 더 없이 좋은 기회라 생각되었다.

모든 배움에는 동기부여가 필요하다. 큰딸과 맛난 음식 만들고 가까운 공원에 산책할 생각만 했던 엄마는 나의 제안에 손사래를 쳤다. 눈도 안 좋고 손가락도 굳어서 못한다며 그걸 지금 배워서 뭐하냐고 반문했다. 분명히 이런저런 핑계로 거절할 것을 예상했기 때문에 물러서지 않고 설득하며 그녀의 카톡을 뒤적여 가장 친한 친구의 채팅 창을 열었다.

그분은 엄마보다 두 살이나 많은데 노인회 총무 일을 하면서 카톡을 잘 이용하고 있었다. 노인회의 자랑거리와 건강 상식은 물론 관광지에서 찍은 멋진 사진과 동영상 등 많은 것들을 자랑하듯 엄마에게 보냈다. 풍성한 그녀의 읽을거리에 대한 엄마의 대답은 고작 자음 몇 자 뿐이었다. 잘됐다 싶어 그분의 카톡 창을 가리키며 글쓰기를 못하면 문맹이나 다를 바 없다고 자존심을 건드렸다. 그랬더니 표정이 바뀌면서 전화기를 잡았고 나의 작전은 일단 성공했다.

"제대로 할 수 있을까?"라며 긴장하는 엄마에게 난 가급적 쉽게 글자의 형성 과정과 기호들을 설명했다. 처음에는 받침 없는 '아기, 오리, 어머니, 아버지' 등 쉬운 글자를 연습했다. 자음과 모음을 번갈아 누르면 글자가 만들어지는 것을 신기해 하며 열심히 따라했다.

일 단계를 성공적으로 마쳐 자신감이 생긴 그녀는 받침이 있는 글자와 쌍 자음에 도전했는데 예상대로 매번 엉뚱한 글자가 되었다. 애써 만든 글씨를 지우려니 아까워서 머뭇거리다가 뭔가를 잘못 눌러 모든 글자가 사라졌다. 이쯤 되면 스트레스로 포기할 것 같아 필기도구를 준비해서 전달내용을 먼저 쓰고 자판에 옮길 것을 권했다. 그리고 받침이 어려우면 생략하고 바로 전송하라고 했다.

예를 들어 '좋겠다'를 '조케다'로 '먹었다'를 '머것다'로 써도 의미가 통하니 괜찮다며 응원했다. 그러자 표정이 한결 밝아져서 평소 하고 싶었던 말들을 차분하게 글로 표현했는데 놀랍게도 그녀가 가장 많이 연습한 단어는 '사랑해'와 '고마워' 그리고 '보고 싶다'였다. 엄마는 그 소리를 듣고 싶었는데 그렇게 표현하며 챙겨주는 자식이 없어서 '더 외롭고 힘들었나 보다'라고 생각하니 맘이 짠했다. 그녀의 속내를 눈치 챈 우리는 깊이 반성하며 '나도 사랑해'라고 회신했다. 마주보면 낯간지러워 가족 간 한 번도 말한 적 없었던 그 단어 '사랑해'는 '고마워'와 더불어 이제 우리 단체방의 으뜸 단어가 되었다.

'10년 살기 어렵다'고 단정하며 자존감을 상실한 채 의미 없이 시간만 보내던 그녀가 자식들과 소통하기 위해 카톡에 글쓰기를 배웠다. 시작은 '이걸 배운다고 뭐가 달라질까?'라며 의심했지만 결과는 상상 그 이상이다. 말하는 것과 달리 쓰기는 감정을 순화해 표현할 수 있고 집중하는 동안 신체의 고통과 외로움을 잊게 한다. 완성된 글을 전송할 때의 희열과 관심 갖고 응원해 주는 자식들이 한없이 고맙고 사랑스러워 엄마는 또 번역이 필요한 문장을 날린다.

'지ㄴ작애배울거ㄹ지금도안느져ㅅ지고마우ㅇ'(진즉에 배울 걸. 지금도 안 늦었지? 고마워)

남편, 호주시민이 되다

9월 17일, 집 근처 칼람베일(Calamvale) 체육관에서 호주 시민권 수여식이 있는 날이다. 편하다고 늘 작업복만 고집하던 남편이 오늘은 특별히 와이셔츠와 양복바지를 입고 여러 차례 거울을 본 뒤 행사장으로 갔다.

행사장에 도착해 본인 확인을 마친 뒤 당사자인 남편은 앞쪽에 축하객인 나는 뒤쪽에 앉았다. 모국의 전통의상을 입은 사람, 꽃다발을 들은 사람, 어른들 사이를 비집고 깔깔거리며 뛰어다니는 어린이들까지 넓은 체육관이 소란스러웠다. 스코틀랜드 전통 복장의 악사들이 백파이프(Bagpipes)연주로 분위기를 돋우며 시작을 알렸다.

이민자들에게 영주권과 시민권은 큰 관심사다. 특히 영주권은 신분이 보장되고 의료서비스 등 여러 가지 혜택이 주어지기 때문에 이민생활에 반드시 필요하다. 영주권 취득 후, 4년이 지나면 시민권 자격이 주어지는데 본인의 의사에 따라 시민권을 신청하고 시험을 치른다. 시험은 호주에 대한 기초 상식과 시민으로서의 의무와 권리 등에 관해 비교적 간단하게 출제된다고 하는데, 시험에 통과하고 시민권 수여식 날 선서하면 시민권자가 된다.

시민권자는 참정권과 피 선거권이 있고 외국에서 긴급 상황이 발생하면 호주 정부의 지원을 받으며 그들의 자녀는 출생지에 상관없이 시민권자가 되는 특혜도 있다. 이밖에 젊은이들의 경우, 장기 학자금 대출 혜택이 주어지며 군인이나 외교통상부, 국경 보호부 등과 같은 공무원 직(職)에 응시할 수 있다.

그래서 영주권자 가정에 학생이 있으면 학비 혜택이나 직업 선택의 범위가 넓기 때문에 가족 중에 제일 먼저 시민권을 취득하는 경우가 많다. 우리 집도 막내아들이 학자금 융자 때문에 제일 먼저 시민권자가 되었다. 나머지 가족들은 생활하는데 별 문제 없고 영어도 못하는데 시민권자라는 것이 부끄러워 차일피일 미루고 있었다.

그런데 2017년, 연방정부가 시민권 취득 규정 강화 안(案)을 발표했는데 가장 큰 문제는 IELTS[1] 점수를 6.0으로 높인다는

1) IELTS(International English Language Testing System)는 영국문화원, 케임브리지대학교, 호주 IDP에듀케이션에 의해 공동 개발, 관리 운영되는 영

것이었다. 이는 호주대학 입학자격 수준으로 겨우 생활 영어만 가능한 우리에게는 상상조차 할 수 없는 높은 점수였다. 이 소식을 접한 영주권자들은 혹시 모를 차별에 불안했고 정치권은 연일 공방 끝에 상원의 제동으로 백지화되었다.

그러나 그 파장은 커서 언제 또 정책이 바뀔지 모른다는 불안감에 많은 영주권자들이 서둘러 시민권을 신청했고 남편도 거기에 합류했다. 갑자기 크게 몰린 신청자들로 인해 많이 기다릴 줄 알았는데 60세 이상의 신청자는 인도적 차원에서 시험 없이 진행된다는 통보가 왔다. 그리고 오늘 수여식에 참석했다.

개회사와 함께 시장(市長)의 축사가 있었고 오늘의 주인공들 중 대표가 선서를 마치자 증서 수여가 시작되었다. 호명하면 당사자는 단상으로 올라가 그것을 받고 수여자(授與者)와 기념촬영을 했는데 이때 축하객이 있으면 함께 촬영할 수 있도록 배려했다. 가족을 중요시 여기고 모든 의식(儀式)은 시간이 걸리더라도 품위 있게 제대로 진행하는 이 나라 문화의 일면을 볼 수 있었다.

날씨는 덥고 시간이 흐를수록 분위기가 흐트러져 집중력이 떨어졌다. 저 많은 사람들이 일일이 단상에 올라가 악수하고

국식 영어능력 시험이다. 비영어권 국가 출신자들에 대한 영어 능력 평가로, 미국에서 시행하는 토플과 매우 유사한 시험이다. 대학 진학이나 이민 수속용으로 흔히 사용되며 호주, 뉴질랜드 등의 영국연방국가는 물론 미국 등 비 영연방국가에서도 일부 채택하고 있다.

사진촬영까지 한다면 저녁이나 되어야 끝날 것 같다는 생각이 들어 지루해지기 시작했다. 더군다나 사회자의 말을 알아들을 수 없으니 몰입이 어려웠는데 다행히 10여 명 정도만 그렇게 하고 이내 분위기를 바꾸는 익숙한 음악이 장엄하게 울렸다. '전진하라 아름다운 오스트레일리아(Advance Australia Fair)' 호주 국가(國歌)다.

이민 초기, 직업 전문학교인 TAFE에서 이 노래를 배워 가사를 외우진 못하지만 내용과 음률은 안다. 멋진 목소리로 힘차게 독창하는 단상의 흑인 가수를 따라 모두 한마음이 되어 즐겁게 노래했다. 후렴구의 'in joyful strains then let us sing/ Advance Australia Fair 즐거운 마음으로 다 함께 노래하자, 아름다운 오스트레일리아여 전진하라'를 흥얼거리는데 눈물이 흘렀다. 안도감과 아쉬움이 교차된 눈물이리라. 국가를 마지막으로 모든 의식을 끝낸 상기된 표정의 남편과 만났다.

축하해줄 아이들도 꽃다발도 없어서 미안했는데 그는 기쁜 얼굴로 기념촬영 후, 상장인 양 증서를 내게 내밀었다. 전진(前進)의 상징인 호주의 동물 캥거루와 에뮤(Emu) 사이에 6주 1준주[2]를 상징하는 문양을 국화(國花)인 와틀(Wattle)이 감싼 국장(國章)이 새겨져 있다.

---

2) 6주 1준주 WA(Western Australia), QLD(Queensland), NSW(New South Wales), VIC(Victoria), SA(South Australia), TAS(Tasmania), 1준주 ACT(Australian Capital Territory)

앞으로 한국에 가면 여권이 달라 입구가 서로 다르다는 둥 호주시민답게 영어 좀 잘하라는 둥 농담하며 무리에 휩쓸려 나오는데, 출구에 축하 선물인 토종 묘목이 준비되어 있다. 햇빛이 강한 나라의 식물이라 잎이 두껍고 뾰족한데 분홍빛 작은 꽃송이가 사랑스러웠다. 특별히 수량 관리를 하는 것 같지 않아 두 포기를 가져와 마땅한 자리를 찾느라 화단을 기웃거렸다.

봄 햇살에 울타리의 나무는 초록을 더하고 군데군데 키 큰 나무를 중심으로 작은 꽃들이 개성을 뽐내고 있다. 나무는 화려한 꽃과 함께하니 더 듬직해 보이고, 꽃은 나무 그늘 덕분에 메마르지 않고 씨앗을 키울 수 있으니 그 조화를 통해 상생(相生)을 배운다. 분홍색 꽃을 피우는 토종 묘목을 노랑 국화 옆에 심으며 나직이 속삭인다.

'우리 집에 와 줘서 고마워. 너도 우리도 아름답고 풍요로운 이 땅에서 좋은 결실을 맺도록 노력하자.'

밥값하고 갑니다

에어비엔비(Airbnb)앱에 반가운 한국지명이 떴다. 우리 집에 3박 4일 머물기를 문의한 사람은 홍성에 사는 동준 씨였다. 홍성이라면 내 고향 충청도 온양온천과 가까운 지역으로 외가인 서산에 갈 때 늘 거쳐가던 지역이다. 반가운 마음에 개인전화번호를 물어 전화를 걸었더니 중년 남성의 저음이 들려왔다.

"홍성에서 오셨군요?" 물었더니 "아니요, 시드니에 일이 있어서 횡성에서 왔습니다." 한다.

"홍성이든 횡성이든 고국 분이라 반가운데 이사한 지 며칠 되지 않아 불편할 수도 있어요." 양해를 구하니 괜찮다며 머물기에 동의했다. 통화로 서로 협의되었으니 규칙대로 '수락'을 눌렀다. 흰 머리의 중년남성 사진이 떴는데 우리 또래 정도 되겠다 싶어 더 친근하게 느껴졌다.

다음날, 동준 씨는 우리 집 첫손님이 되었고 예상대로 50대 후반이며 컴퓨터와 기계를 이용하여 농사를 짓는 멋진 사람이었다. '기계농사'라는 말에 솔깃해서 머무는 동안 많이 배워야겠다 생각하며 방을 안내했다. 그는 대충 짐을 풀고 간단한 차림으로 나오더니 변기와 샤워기가 좀 문제라며 점검하러온 기술자처럼 차분히 보고하듯 설명했다.

"네. 맞아요. 수리를 의뢰했는데 바빠서 내일 오신다고 했어요. 변기의 물을 내릴 때는 두 번 눌러 주시고 샤워기는 교체하기로 했으니, 오늘 하루 정도만 양해해 주세요. 미안해요." 했더니 그가 말하길 "이런 것들은 제가 충분히 고칠 수 있어요. 여기는 인건비가 비싸서 기술자를 부르면 최소 $100불 이상 지불해야한다고 들었어요."라며 노련한 솜씨로 변기물통 뚜껑을 열고 플라스틱 구조물을 빼서 똑같은 걸 구입해 오라고 했다. 주객이 전도된 상황인데 반갑고 고마워서 "네, 알겠어요. 미안한데 샤워기도 빼주시면…?" 했더니 "샤워기는 헤드의 물 나오는 구멍들을 바늘로 한 번씩 뚫어주면 1년은 거뜬히 쓸 수 있어요." 했다.

한 번도 그렇게 해본 적이 없어 재차 물었더니 당장 실행에 옮겼다. 샤워기의 헤드부분을 분리해서 식탁에 놓고 신문지를 펼친 다음 바늘로 구멍들을 차례차례 뚫었다. 신문지 위로 작은 쇳가루 오물들이 믿을 수 없을 만큼 많이 떨어졌다. 신기하고 놀라워서 "이런 방법도 있군요. 우리 남편도 웬만하면 수리해서 쓰는 검소한 사람인데 이런 경우는 처음 봤어요. 사모님이 알뜰한 남편이라고 칭찬 많이 하시겠어요?" 했더니 "가끔 궁상떨지 말라고 잔소리해요. 흐흐." 했다.

그렇게 첫날부터 작정하고 여기저기 살피더니 다음날부터 오전은 본인의 일정대로 움직이고 오후에는 빈집에서 뚝딱거리며 뭔가를 바꾸고 고치는 일들을 계속했다. 옛이야기 속의 '우렁각시'가 바쁜 우리를 위해 찾아온 듯했다. 고마운 마음을 달리 표현할 길 없어 내 식대로 소박한 밥상을 대접했더니 오랜만에 한식을 배불리 먹었다며 고마워했다.

마지막 날, 아무리 생각해도 그의 3박 4일 숙박비보다 수고비가 더 큰 것 같아, 숙박비의 절반을 감사인사와 함께 봉투에 담아 테이블 위에 놓았다. 퇴소하는 날은 마침 우리도 휴일이어서 시티 근처의 명소를 안내하며 그의 농장계획을 듣고 아쉬운 작별인사를 했다.

돌아오는 길 남편과 사람의 향기에 대해 이야기하다가 문득 돌아가신 할머니 말씀이 생각났다. 설날아침 손주들이 세배를 드리면 곶감이나 밤을 나눠주시며 "새해에도 복 많이 짓고 많이 받아라." 하셨다.

'복 짓는다?' 어린 마음에 궁금해서 여쭈면 "죄 지으면 벌을 받듯 착한 일을 많이 하면 복을 받지. 누가 시켜서 하는 일이 아니고 스스로 착한 일 하는 것을 복 짓는 거라고 한단다."라며 낮은 목소리로 조곤조곤 설명했었다. 할머니 말씀대로라면 '동준 씨는 복을 많이 지었으니 그 복이 쌓여 조만간 큰 복을 받을 거야. 참 고맙다.' 생각하며 집에 도착했다.

청소를 위해 그가 머물렀던 방에 들어가니 내가 놓은 봉투가 그대로 있다. 봉투를 열어보니 메모지는 없고 돈은 그대로 있는데 겉면에 그의 성품 같은 반듯한 글씨가 쓰여 있다.

'밥값하고 갑니다. 마음만 받겠습니다. 항상 건강하고 행복하세요.'

비 축제

주말 아침 또 큰 비가 온다. 3주 내내 오락가락하니 습하고 빨래도 잘 마르지 않아 슬슬 불청객처럼 느껴지는데 기분 알 바 아니라는 듯 맹렬하게 퍼붓는다. 따뜻한 커피 한 잔이 그리울 쯤, 남편이 큰 잔 가득 커피를 타며 주말이니 느긋하게 비나 감상하자고 한다. 낭만적 제안을 기꺼워하며 베란다에 앉아 커피 향과 찻잔의 온기를 즐기는데 10평 남짓한 베란다 밖은 온통 비 세상이다.

대지를 향한 굵은 빗줄기는 바다의 신(神) 포세이돈처럼 주변을 끌어안고 배수로를 향해 거침없이 질주한다. 영화의 한 장면처럼 장엄하다. 숨죽이며 감상하다 단숨에 마셔버린 커피가 너무 아쉬워 다시 부엌문을 열다가 베란다 천장에 눈길이 머물렀다.

날씨가 더워 꼭 필요한 일만 대충하며 살다보니 구석구석 청소를 제대로 못해 얼룩이 많았다. 마침 처마 끝에 대롱대롱 빗방울이 매달렸고 며칠 동안 습한 덕분에 얼룩 닦기는 쉬울 것 같은데 다만 좀 높아서 수고스러울 듯했다. 호젓하게 비를 즐기는 남편을 향해 천장을 가리키며 씨~익 웃으니 의중(意中)을 눈치 채고 고개를 절레절레 흔든다.

그러나 이미 늦었다. 비의 공격쯤은 아무것도 아니라는 듯 잽싸게 사다리와 필요한 도구들을 집합시킨 후 빗소리를 박자 삼아 안쪽에서부터 얼룩을 닦기 시작했다. 예상대로 그것들은 잘 닦였고 더러워진 물은 베란다 밖으로 버리기만 하면 빗줄기가 알아서 치워주고 채워주니 일이 한결 수월했다. 청소는 손대기 시작하면 일이 커지는데 천장을 닦고 나니 상대적으로 안쪽 벽의 때가 도드라져 보였다. 이쯤 되니 남편도 마음이 불편했던지 투덜거리며 돕기 시작했다. 일이 커진 만큼 성취감 역시 커질 거라며 다독이다 학창시절, 시골 마을의 비 오던 날을 회상했다.

15리를 걸어서 학교에 다녔던 나는, 날씨에 민감했는데 특히 비 오는 날은 가뭄의 단비도 반갑지 않았다. 비 오는 날 아침이면 부모님은 우비 대신 긴 검정비닐로 가방과 교복의 엉덩이 부분을 젖지 않게 싸 주셨다. 그러나 시원찮은 비닐우산과 한바탕 실랑이를 벌이며 학교에 도착하면 교복은 언제나 흠뻑 젖어 뻣뻣했다. 으슬으슬 한기(寒氣)를 느끼며 그럭저럭 수업을 마치고 퉁퉁 부운 얼굴로 집에 오면, 부모님은 비 축제로 바쁘셨다. 이틀에 한 번씩 어렵게 물을 길어 최대한 아끼면서 생활했던 우리 집에 비는 하늘이 내린 선물이었다. 처마 밑에는 장독대의 항아리부터 안방의 요강까지 집기마다 찰랑찰랑 물이 넘쳤다.

밖에서 돌아오는 순서대로 젖은 옷들을 벗어 물 걱정 없이 깨끗이 빨고 집안 청소를 한 다음, 부엌의 그을린 솥과 냄비들을 동그랗게 둘러앉아 반짝반짝하게 닦았다. 그러는 동안 구질구질하고 젖은 교복 때문에 속상했던 마음도 어느새 깨끗해진 가재도구처럼 말개졌다. 논의 물꼬 살피고 두렁 깎느라 황톳물 들은 아버지의 신발을 하얗게 닦아 마루 끝에 엎어 놓고 요강까지 닦으면 비 축제는 절정에 달했다. 엄마는 축축한 방을 데울 겸, 애호박을 넣고 수제비를 끓여 가족의 노고를 치하했다. 종일 비에 떨었던 몸과 마음은 따뜻한 수제비 한 그릇에 눈 녹듯 풀리고 당분간 물 긷는 수고를 하지 않아도 된다는 안도감은 달콤한 낮잠에 빠지게 했다.

자라면서 자연스럽게 몸에 배인 비 오는 날의 행사는 은연중 행복한 습관이 되었다. 수도꼭지만 틀면 물이 흔해 아무 걱정 없이 비를 감상할 수 있는데도 몸은 옛날처럼 뭔가 특별한 일을 찾는다. 꽃모종이나 앨범을 정리하기도 하고 오늘처럼 손이 많이 가는 일도 즐겁게 집중하면서 내면과 차분히 조우하며 평화와 에너지를 얻는다. 차별 없이 모든 사물을 씻기며 키워내는 비의 속성 덕분인 것 같다. 깨끗해서 훨씬 밝고 넓어진 것 같은 베란다에서 자연의 섭리와 은택에 감사하며 빗속 풍경을 만끽한다.

국민체조 시~작!

아침 6시, 좀 이른 시간인데 약속이나 한 듯 두 방문이 살그머니 열린다. 두 여동생은 50대(代), 이모는 60대, 친정엄마는 80대로 나이 들면서 잠이 줄고 잠자리가 바뀌니 새벽이면 눈이 떠진다고 했다. 너무 일찍 일어나 달그락거리면 폐가 될까봐 자매끼리 도란도란 밀린 이야기하며 새 소리를 감상했다고 한다.

그녀들이 처음 호주를 방문했던 몇 년 전에는 시드니나 멜번 같은 유명 관광지를 찾느라 집 근처 풍경을 즐길만한 여유가 없었다. 지금은 두 번째 방문이니 가급적 발을 많이 이용하여 가까운 공원이나 시내를 어슬렁거리며 주변 분위기를 느껴보고 싶다고 했다. 또한 바쁜 나를 대신해 장바구니 가득 찬거리를 마련해서 가족 모두가 즐길 수 있는 음식을 만드는 등 지극히 소박한 일정을 보내겠다고 했다. 하긴 이름난 관광지는 아니지만 근처에 공원과 산도 많고 차타고 조금만 움직이면 아름다운 바다도 얼마든지 있어 그녀들의 생각대로 집 주변을 탐색 중이다.

따뜻한 물 한 잔을 마신 우리는 공원을 향했다. 걸음이 불편한 친정 엄마는 보조기에 의지해 쉬엄쉬엄 걷고 딸들은 깔깔거리며 상쾌한 아침 풍경을 즐겼다. 밤새 휴식으로 목청 가다듬은 새들의 지저귐은 활기차고 이슬로 말갛게 세수한 식물들은 한결 싱싱해 보였다. 저마다 흥얼거리다 누군가 문득, 가던 길 멈추고 저만치 어렵게 무리를 따르는 엄마를 향해 손 흔들며 제자리걸음으로 기다렸다. 그렇게 가다 서다를 반복하며 오솔길을 지나고 제법 넓은 운동장에 이르렀다.

언제나 활력과 아이디어가 넘치는 동생들은 기다렸다는 듯 휴대전화를 꺼내 유튜브의 '국민체조'에 채널을 맞췄다. 두 전화기의 볼륨을 최대한 높이고 둘째는 일행을 옆으로 나란히 세운 후 앞으로 나서는데, 운동을 좋아해 꾸준히 실천한 덕분에 지금도 몸이 유연해보였다. 체조에 앞서 간단한 스트레칭을 선보이는데 동작이 자연스럽고 쉬워 보여 따라하는데 몸 따로 마음 따로 어색하기만 했다.

이윽고 울려 퍼지는 4/4박자의 웅장한 국민체조 음악, 시공을 초월하여 학창시절로 복귀한 것처럼 몸은 즉각 반응했는데 역시 마음만 앞섰다. 당장 처음 동작인 숨쉬기 운동은 호흡을

조절하며 팔을 올려야 하는데 어깨 통증으로 왼쪽 팔이 부자연스러웠다. 체조에 활력을 불어넣는 구호와는 반대로 엄마와 나는 신음소리로 박자를 맞췄다. 아픈 내 왼쪽 팔은 동작을 수행할 때마다 수난을 겪고 무릎은 '우드득' 불편한 소리로 맞장구쳤다.

얼마 전 왼쪽 무릎수술을 받은 엄마는 몇 번의 시도 끝에 포기하고 보조기에 앉아 땀을 닦으며 그 와중에도 큰딸인 나를 걱정했다.

"아이고! 겉보기는 멀쩡한데…. 세월 잠깐이다. 몸 아끼며 쉬엄쉬엄해라."며 안타까워했다.

"걱정 마, 엄마! 아직 적응이 안돼서 그래."라며 애써 건재함을 과시했다.

음악과 구호는 재촉하듯 흐르고 마침내, 4분짜리 국민 체조를 반복할 때는 훨씬 부드럽게 팔 다리가 움직였다. 하이라이트라 할 수 있는 노 젓는 동작의 '온몸 운동'은 모든 신체가 조화롭게 협력하여 온전한 쾌감을 느끼게 했다.

체조로 몸을 푼 우리는 신나는 음악에 맞춰 춤을 추었다. 운동이 생활화된 동생들과 이모는 마음 내키는 대로 움직여도 멋진 댄스처럼 보이는데, 오랜만에 그런 분위기를 접한 난 몸치(癡)인데다 무리하면 탈이 날까 걱정되어 엄마 옆에 앉았다.

셋은 재롱떨 듯 현란한 춤을 선보이고 둘은 앉아서 구경하는 모습이 마치 초등학교 학예 발표회 같았다. 박장대소하며 지켜보는데 어느새 왔는지 새들도 합류하여 가끔씩 박자를 맞췄다. 모처럼 50대인 딸들의 합동 장기 자랑을 관람했으니 그 추억만으로도 엄마의 여정(旅程)은 외롭지 않을 것 같았다.

집으로 돌아오는 길, 간단한 동작도 어려운 시험처럼 쩔쩔맨 팔과 다리에 연민을 느껴 슬며시 쓰다듬으며 속삭였다.

'미안해. 그동안 많이 불편했구나. 오늘 동작들은 오랜만이라 어려웠을 거야. 너희들은 운동보다 훨씬 더 어려운 일도 잘 하니까 앞으로 매일 5분만 투자하면 멋지게 해낼 수 있을 거야. 우리 잘해보자 파이팅!'

일의 서글픔과 기쁨

코로나19 바이러스가 고국을 긴장시키더니 어느새 이곳도 큰 도시를 중심으로 확산되고 있다. 이에 정부는 강력한 통제와 시민의식이 요구되는 스테이지(Stage)3을 발표했다. 골자(骨子)는, 꼭 필요한 직장 근무와 식료품 구입 그리고 병원이나 약국 방문 등을 제외하곤 가급적 외출을 자제하라는 것이다. 또한 모임인원도 결혼식 참석은 5명, 장례식은 10명으로 제한하며 가정에서도 가족 이외에 2명 이상의 방문자는 허용되지 않는다고 했다. 이를 지키지 않으면 브리즈번의 경우 $1,330의 많은 벌금을 부과한다고 했다.

이에 따라 직장은 재택근무로 학교는 온라인 수업으로 전환했고 식당에서는 포장용 음식만 살 수 있는 등 최대한 사람과의 접촉이 줄게 되었다. 그러다 보니 적잖은 교민들이 종사하는 청소 비즈니스나 식당업의 타격이 크다. 청소 비즈니스 중에서도 하우스 청소의 경우, 재택근무나 온라인 수업 때문에 일을 취소하는 경우가 많아졌다.

청소비중이 오피스와 하우스가 반반인 우리는 임대료 없고 고용인원도 적어 큰 부담 없이 추이(推移)를 지켜보고 있다. 다행이 배려인지 아니면 예방차원인지 고객들이 변함없이 일할 것을 요구하여 전염병 사태를 빙자한 휴가(?)는 수포로 돌아갔다. 계속 일할 수 있게 된 것에 감사하며 이번 기회를 통해 직업이라는 것에 대해 곰곰이 생각할 시간을 갖게 되었다.

보통 우리는 직업을 선택할 때 자신이 좋아하며 잘할 수 있고 보람 있는 일로 경제적 자립은 물론 사회에 기여하라고 배운다. 그러나 안타깝게도 이러한 조건을 모두 충족시킬 만한 직업을 갖고 있는 사람은 생각보다 많지 않은 것 같다. 상대방의 직업이 멋지고 좋아 보여 만족도를 물으면 의외로 손사래를 치며 고충을 토로하는 경우가 많다.

40대 후반, 기본적인 소통도 어려운 타국에서 내가 할 수 있는 일이 있다는 것, 그것이 불법만 아니라면 무엇이든 괜찮다고 마음을 비웠을 때, 청소 비즈니스를 시작할 수 있었다. 비록 좋아하는 일은 아니었지만 주부라면 기본적으로 청소는 잘 할 수 있을 것 같아 시작했는데 매달 적잖은 돈이 입금되는 기적이 일어났다. 덕분에 가정은 경제적으로 빨리 안정을 찾았

고 시댁, 친정 양가에 최소한의 자식 노릇도 할 수 있게 되었다. 덤으로 열심히 땀 흘린 덕분에 특별한 운동 없이도 일정한 체중과 건강도 유지할 수 있었다.

문제는 시간이 지날수록 이 일이 내 안의 다른 욕구와 충돌하기 시작했다. 먹고 살만하니 더 이상 휴일 없이 일하기 싫었고 적어도 저녁과 주말은 쉬면서 정말 좋아하는 뭔가에 집중하고 싶었다. 그동안 열심히 살았기 때문에 이 정도의 선물은 당연하다고 생각하며 남편에게 동의를 구했더니, 현실감과 책임감 없는 철부지 같은 생각이라며 일언지하에 묵살했다. 내 딴에는 어렵게 꺼낸 이야기였는데 배려는커녕, 미래 운운하며 배우자의 삶을 좌지우지하려는 그의 가부장적 태도에 크게 실망하며 서글픈 시간을 보냈다.

'처음에는 감사하고 만족스럽던 일이 지금은 왜 힘들게 느껴지는 걸까? 구체적으로 어떤 새로운 일을 원하는가? 두 가지 일을 병행할 수는 없는 걸까?' 등등 스스로에게 질문을 던지며 찾은 대답은, 부끄럽게도 직업의 귀천의식 때문이었다. 단순노동인 청소일은 보람이나 소속감, 자기개발 같은 차원 높은 성취감과는 거리가 먼 생계유지만을 위한 임시직 정도로 생각했던 것 같다.

소통도 어렵고 돌발 상황에 대한 대처능력도 없는 자신을 객관화하지 못하고 직업에 대한 허영심 때문에, 지금의 직업을 청산해야할 대상으로 여기며 불평하고 경멸했던 것이다. 그렇게 비하와 환멸로 스스로를 괴롭히며 기계적으로 움직이니 일상이 신산하고 서글플 수밖에 없었던 것이다.

그러다가 최근 경기가 좋지 않아 주말에 쉴 수 있게 되었다. 비로소 어엿한 직장인으로 승격한 기분이었는데 여유 덕분인지 아니면 불황으로 인한 위기감 때문이지 '이까짓 일'이 '이만한 일'로 감사(感謝) 대상(對象)이 되었다. 생각이 바뀌니 행동도 바뀌어 웃는 낯으로 고객들을 대하니 상대방 역시 우리를 전문가라고 치켜세우며 신뢰했다. '청소의 전문가라….' 달갑지 않은 칭찬이지만 음미할수록 뿌듯했다.

특히 하우스 청소의 경우, 독거노인들은 날짜를 헤아리며 벗처럼 우리를 기다리고 젊은 부부들은 육아와 집 관리를 물으며 친정 부모처럼 의지했다. 중국어를 시작했다는 어느 고객은 아시아의 역사와 문화에 대해 자문(諮問)하며 선생으로 대하니 그렇게 경멸했던 청소 일이 나의 존재감을 이만큼 키운 것이다. 만약 알량한 자존심으로 일을 포기했다면 그저 꿈만 꾸는 외톨이 이방인으로 시간만 축내는 삶을 살 뻔했다. 서글픔이라 여겼던 시간들은 내 안의 편협한 직업관을 담금질하여 과분할 만한 풍요를 주었고, 위기에도 담대하고 의연하게 대처할 수 있으니 스스로 기특하고 감사할 뿐이다.

움직이기만 해도 찝찔한 땀방울이 이마를 타고 흘러 눈물로 변할 때, 그럼에도 불구하고 일의 온전한 주인이 되어야 할 때 힘과 용기를 주는 글이 있다. 알랭 드 보통((ALAIN DE BOTTON)의 『일의 기쁨과 슬픔』*의 마지막 단락이다. 휴대폰에 저장하고 마음이 흐트러질 때 틈틈이 주문처럼 읊조린다.

> 우리의 일은 우리의 가없는 불안을 상대적으로 규모가 작고 성취가 가능한 몇 가지 목표로 집중시켜줄 것이다. 우리에게 뭔가를 정복했다는 느낌을 줄 것이다. 품위 있는 피로를 안겨줄 것이다. 식탁에 먹을 것을 올려놓아 줄 것이다. 더 큰 괴로움에서 벗어나 있게 해줄 것이다.

*『일의 기쁨과 슬픔』: 정영목 옮김, 도서출판 이레, 2009

담배 제조기

식후 맛있는 담배 한 개비를 즐기기 위해 남편은 베란다로 나간다. 담배 말이 치구(治具)로 직접 만든 담배는 상업용과는 달리 가늘고 속이 단단치 못해 한 개비만으로는 좀 아쉬운 눈치다. 그래도 그것을 피우는 동안에는 여유가 생기는지 주변과 새들을 감상한다. 아쉬운 듯 길게 마지막 연기를 내뿜고 베란다 책상에 앉은 그는 오후에 피울 담배를 준비한다. 마치 주부들이 한 끼 식사가 끝나면 다음 끼니 식자재를 챙기는 것처럼.

호주는 담뱃값이 비싸기로 유명하다. 영국, 미국에서는 말보로(Marlbore) 20개비 한 갑이 각각 $16.64, $9.51정도인데 이곳은 $27이라고 한다. 높은 담뱃값은 가계에 부담이라 골초도 이민과 함께 금연자가 된다고 들었다. 사정이 이렇다 보니 남편의 고민은 컸고 '이 참에 담배를 끊나보다.'라고 은근히 기대했는데, 막내아들이 담배를 직접 만드는 치구(治具)와 재료 일체를 선물했다.

한국에서는 본 적도 생각지도 못한 일이어서 인터넷을 검색하니 시판되는 담배보다 첨가물이 적어 건강에는 좀 낫다고 했다. 남편은 아들을 끌어안고 "또 하나의 생존 방법을 터득했다."며 기뻐했다. 이후 손재주 좋은 그는 틈만 나면 베란다에 앉아 담배 만들기에 열중했다. 그 모습에 부아가 치밀어 시비를 걸면 "단순 동작의 반복을 통해 마음공부도 하고 자연의 질서도 감상한다."며 자신을 적극 변호했다. 듣고 보면 이만한 단점 없는 사람이 어디 있으랴 싶어 이해 반(半), 방치 반(半) 넘어갔는데 건강에 문제가 생겼다. 어금니 두 개가 한꺼번에 빠져 치과에 갔더니 치주염이 원인이라며 금연을 권했다. 30년 넘게 피운 담배를 하루아침에 끊는다는 것은 쉬운 일이 아니라서 권하는 의사와 듣는 환자 모두 겸연쩍게 웃었다. '드디어 때가 왔구나.'라며 이 상황을 반겼는데 의사의 권유에도 불구하고 그의 흡연은 계속되었다. 그러더니 가끔씩 불편했던 나머지 치아들도 슬그머니 빠져버렸다.

4~5년 사이에 7개의 치아가 빠졌으니 식사가 불편한데 본인의 흡연 탓이라 하소연 할 수도 없고 무엇보다 의지 약한 가장으로 낙인찍힌 것이 옆에서 보기에 마음 편치 않았다. 사실, 이렇게 이가 빠진 것은 담배 탓도 있지만 그만큼 삶이 고단했기

때문인데 금연 못한 죄로 모든 비난을 감수하는 그를 생각하니 마음이 짠했다. 그렇다고 동정이나 응원할 상황은 더더욱 아니어서 말없이 그의 행동을 지켜보았다.

며칠 뒤, 그는 임플란트 시술을 결심하고 치과에 다녀왔는데 시술 가격이 보통 개당 $4,500(한화 450만원)정도로 비싸다고 했다. 남편의 경우, 적어도 3개는 임플란트가 필요한데 대충 계산해도 $15,000이니 가계에 큰 부담이었다. 더 중요한 것은 흡연은 염증의 원인이 될 수 있기 때문에 시술이 어렵다며 임시처방으로 한 개의 의치(義齒)만을 심었다고 한숨 쉬며 말했다. 의기소침해 있는 그에게 "눈으로 확인할 수 있는 치아가 문제라서 그나마 다행이야. 보이지 않는 속이 아프다면 얼마나 답답하고 힘들겠어? 이 사진 좀 봐. 얼마나 끔찍해? 건강은 건강할 때 지키라는 말이 있잖아. 나중에 후회한들 무슨 소용 있어?"라며 담배 갑에 인쇄된 어느 흡연자의 흉측한 발 사진을 그의 눈앞에 들이대며 말을 이었다.

"처음에 담배는 진정제나 통증 완화제 같은 약초로 이용되었대. 점차 수요가 늘어나니 담배회사에서는 니코틴 중독을 강화시키기 위해 무려 500여 종의 첨가물을 넣는대. 소비자가 빨리, 많이, 오래 중독될수록 회사는 이익을 얻고 소비자는 건강을 잃게 되는 거지. 얼마나 끔찍한 이야기야. 문제가 심각해지자 2008년, 세계보건기구는 '담배는 의도대로 사용하면 사람을

죽이는 유일한 합법적 소비자 상품'이라고 공식적으로 경고까지 했대."라며 말썽 학생을 다독이는 선생처럼 애정과 근심을 섞어 설명했다. 남편은 '또 잔소리구나.'라는 표정으로 뿌연 연기를 내 쪽으로 짓궂게 내뿜었다.

독한 담배연기를 훠이 훠이 쫓으며 그의 표정을 살폈다. 속은 어떤지 모르겠지만 겉보기는 병원에서 막 돌아왔을 때보다 많이 차분해지고 평온해 보였다. 흡연자의 저런 분위기 때문에 임어당(林語堂)은 '파이프를 물고 있을 때는 보통 때보다 밝고 사교적이고 거리 없는 행동을 하며 말에도 재치가 있다.'고 했나 보다.

굳이 그의 예찬론을 빌지 않더라도 담배는 한때 TV 속의 미남 미녀들을 더 강하고 매혹적이며 때론 인간적으로 보이게 했다. 그러나 점차 사람들이 웰빙(well-being)과 웰다잉(well-dying)에 관심을 갖게 되면서 건강의 적으로 간주되었다. 흡연이 건강에 좋지 않다는 것을 절실히 겪고 있으면서도 금연하지 못하는 것을 보면 의지마저 니코틴에게 저당 잡힌 것 같다. 그러나 다가올 노년을 위해 지금부터라도 독하게 마음먹고 금연해야한다. 흡연 때문에 신체에 문제가 생기고 역한 냄새 풍기는 남편을 참아줄 아내는 많지 않기 때문이다.

무짠지를 담그며

가을철이라 무와 배추가 싸다. 적당하게 노릇하고 통통하며 잎이 얇은 배추나 잘생긴 무를 보면 대부분의 주부들은 그냥 못 지나간다. 특히 외국에서 한국의 국민 채소를 만나니 우선 반갑고 조금만 수고하면 건강하고 맛있는 밥상을 마주할 수 있으니 어찌 그 유혹을 외면할 수 있으랴!

'가을무는 인삼보다 좋다'는 말도 있고 상태 좋고 가격 저렴하니 섞박지와 짠지를 담글 요량으로 20개 샀다. 많은 무를 보고 계산원이 놀라며 "김장하는 엄마 생각난다."면서 응원과 덕담을 보탠다. 잘생긴 무를 흐뭇하게 바라보며 나 역시 친정엄마의 무 김장이 생각났다.

10월 중순에 접어들면 동네 사람들은 서서히 무 김장을 했다. 배추와는 달리 무는 서리 맞으면 못쓰기 때문에 밭주인들은 날씨와 무 상태를 꼼꼼히 살피면서 김장 날짜를 정했다. 하지만 채소밭이 없는 우리 집은 부모님의 품삯과 동네 인심으로 형편 되는대로 단지를 채워야했다. 이웃들의 무 김장이 거의 끝날 무렵 이삭줍기까지 해서 짠지를 담갔는데, 깨끗이 닦은 무에 소금을 넉넉히 뿌려 차곡차곡 단지에 넣은 다음 고추씨와 지푸라기로 입구를 마무리했다. 담기도 간단하거니와 무엇보다 소금 이외에 별다른 양념이 필요치 않아 없는 집 겨울나기 김장으로는 짠지만한 것이 없었다.

그렇게 담은 짠지는 봄부터 여름까지 아버지와 우리 4남매의 훌륭한 도시락 반찬이 되었다. 누르스름하고 쪼글쪼글하게 변한 짠지 서너 개를 되도록 가늘게 채 썰어 짠 맛을 우리고 고춧가루로 무치면, 아작아작 씹히는 맛이 일품인 무침이 되었다. 형편이 좋을 때는 참기름과 마늘도 넣어 고소하게 먹고 무침이 질리면 누르스름하게 볶아 교대로 들고 다니다 보면 여름 방학이 되었다.

집에서는 매운 고추 한 개 넣고 시원하게 물김치로 먹든가 새우젓을 더해 젓국으로 즐겼다. 짠지만으로도 이미 짠데 거기에 새우젓을 더하면 얼마나 짤까싶어 미간을 찌푸렸는데 완성된 젓국은 군내가 나면서도 신기하게 구수하며 속이 편했다. 여름 내내 먹고 남은 것은 꾸덕꾸덕 말려 된장이나 고추장에 넣어 장아찌를 만들었다. 이미 연세가 많아 농사가 힘든 할머니는 말린 나무새 몇 가지와 무장아찌를 읍내에 내다 팔아 용돈벌이를 했다.

고향 떠나고 나이 들면서 예전에 먹던 소박한 음식들이 사무치게 그리울 때가 있는데 짠지도 그런 음식들 중 하나다. 이민 초기에는 단무지를 만드는 왜(倭) 무는 가끔 봤는데 짠지를 만드는 조선무는 구할 수 없어 시도를 못했었다. 세월이 좋아져 최근에는 어렵지 않게 조선무를 구할 수 있으니 친정엄마의 자문을 얻어 짠지 비슷한 것을 매년 만들고 있는 참이다. 비록 완벽한 고향의 맛은 아니지만 깨소금과 매운 풋고추를 송송 썰어 넣으면 식사 후 물 켤 줄 모르고 한 보시기씩 먹어 치운다. 그 깔끔한 맛에 익숙해진 남편은 조선무 비슷한 것만 보면 짠지 타령하며 나를 부추긴다.

집에 도착한 우리는 무를 씻고 신문지 깐 바닥에 칼판을 놓고 마주 앉았다. 그 상황이 조선시대 명필 한석봉 선생과 어머님의 떡 썰기 대결장면 같아 웃음이 나왔다. 남편은 심각한 표정으로 자로 잰 듯 섞박지 용도를 썰고 난 설렁설렁 큰 무를 4등분 했다. 겉보매 멀쩡한 무가 막상 썰어보니 거뭇거뭇 병든 것이 대 여섯 개나 있었다. 아까워 그 부분만 도려내고 양념한 후 소꿉장난 같은 무 김장을 끝냈다.

불그스름하게 양념된 섞박지 통과 소복하게 소금 덮은 짠지 통을 층층이 쌓아놓고 막 저물기 시작한 저녁 앞에 앉았다. 무능한 가장을 대신해 궂은 일 마다치 않았던 엄마의 육신이 '거뭇하게 속 병든 무 같다'는 생각이 들자 성취감보다 애잔함이 앞섰다.

아버지 돌아가시면 숙제 끝난 듯 시원할 줄만 알았는데 끝까지 집에서 모시지 못한 죄책감과 외로움으로 마음병을 앓았다. 게다가 허리 통증까지 더쳐 입·퇴원을 반복하고 보조기 없이는 열 걸음 걷는 것조차 어려워 한숨과 신세타령이니 우리들 역시 시름에 젖은 날들을 보내고 있다. 그녀의 자존감을 회복시킬 만한 위로의 말을 곰곰이 찾던 중, 오늘의 행사인 짠지이야기를 해야겠다는 생각이 들었다.

아무리 싱싱한 무라도 소금 세례를 받고 시간이 지나면 쭈글쭈글한 모습으로 변한다. 그러나 용도는 변함없이 다양해 은근한 맛을 선물하듯, 엄마 역시 젊음은 잃었지만 경험과 상처를 통해 깨달은 알토란같은 지혜가 우리를 바르게 이끈다고 한껏 치켜세워야겠다. 부모 앞에서는 나이든 사람도 어린애가 된다는데 엄마마저 우리 곁에 없다면 우린 누구에게 지혜를 빌릴 수 있겠냐며 응석처럼 반문해 봐야겠다. 그러면 그녀는 특유의 낙천적이며 엄살 섞인 목소리로 "그럴래나?"라며 잠시나마 무이삭으로 짠지 담던 그 억척스러웠던 젊은 날들을 회상할 것이다. 자식을 위해서라면 어떻게라도 살아야겠다는 그 불굴의 의지가 재활 의지로 바뀔 수 있기를 간절히 기원하며, 시린 밤 밝히는 둥근 달을 바라본다.

유튜브(You Tube)와 잠들다

저녁 일을 끝내고 좀 늦은 식사를 마치면 밤 9시 정도 된다. 보통 아침 7시부터 일을 시작하는 동네 주민들은 이때쯤이면 잠자리에 드는 것 같은데 우리는 이때부터 휴식을 즐긴다. 내일 필요한 것들을 대충 준비하고 각자 방으로 들어가, 편한 자세로 카톡과 메일을 확인하고 유튜브를 시청한다.

난 주로 문학이나 여행 코너를 검색하고 거실에 혼자 남은 남편은 와인과 함께 본인 취향의 뭔가를 시청한다. 공동구간인 거실에 있다 보니 이어폰을 끼고 가끔 혼자서 낄낄거리는데 이어폰 때문에 본인의 웃음소리가 큰 것을 못 느끼는 눈치다. 자정이 넘은 시간에 그런 모습은 민폐라며 잔소리 하는데 생활이 단순하다 보니 뭔가 흥밋거리가 생기면 쉽게 빠지는 것 같다. 이런 상황은 비단 우리 집뿐 만이 아닌 것 같다.

2005년 미국에서 시작되어 새로운 미디어로 급부상한 유튜브(You Tube)는, '당신 자신을 방송하세요(Broadcast yourself)'라는 슬로건을 내세운 1인 방송 시스템이다. 누구나 대중에게 자신의 취미나 관심사를 소개할 수 있고 조회 수가 많을수록 부와 명성도 얻을 수 있다니, 장래직업으로 유튜버(Youtuber)를 꿈꾸는 초등학생도 많다는 이야기를 들었다. 50대 후반의 기계치인 나도 한번쯤 도전하고픈 충동을 느끼는데 호기심 왕성한 어린이들의 뜨거운 반응은 당연한 듯하다.

정치, 경제, 교양, 오락 등 원하는 주제를 검색 창에 입력만 하면 대기 중인 동영상(動映像)이 넘쳐나니 입맛대로 골라보는 재미가 여간 아니다. 주제별로 좋아하는 유튜버까지 있어 매일 밤새 소식을 기대하며 기웃거리다 자정을 넘기기 일쑤다. 특히 영화를 좋아하는 남편은 종종 이어폰을 낀 채 잠자리에 들곤 하는데 문제는 시청시간이 길수록 와인 잔도 늘어난다는 것이다. 아무래도 초기 중독 증상 같다.

유튜브가 등장하기 전에는 많은 사람들이 TV를 통해 정보를 공유하며 희로애락(喜怒哀樂)을 나눴다. 그러나 어느 순간 TV는 창의성을 마비시키는 주범으로 인식되어 '한 달에 한번 만이라도 TV를 끄자.'는 자성의 목소리가 높아졌다. TV만 끄면 더 창의적이고 인간미 넘치는 세상이 될 줄 알았는데, 컴퓨터와 스마트폰

이란 것이 TV를 대신했고 거기에 편승한 유튜브 때문에 서로 얼굴 대하기가 더 어렵게 되었다. 심지어 식사할 때도 상대방과의 대화보다는 휴대전화를 보는 경우가 많아, 식당에 들어갈 때 휴대전화 제출을 요구하는 곳까지 생겼다는 이야기를 들었다.[1] 네모상자가 작아질수록 사람과의 대화도 적어졌다.

때와 장소를 가리지 않는 이용태도도 문제지만 공급자들 역시 조회 수 때문에 허위사실과 저속하고 자극적인 언어를 여과 없이 올린다. 또한 인기를 위해서라면 위험을 무릅쓰고 무리하게 제작하는 경우도 있어, 얼마 전 한국에서는 동영상을 촬영하다 익사했다는 황당하고 안타까운 기사도 읽었다.

생활이 단조로운 60대 남편은 유튜브를 통해 세상을 읽으며 위로받으려 하고, 50대 후반의 아내는 빈둥지증후군을 해결하려 한다. 지금 우리에게 절실한 것은 대화와 배려인데 당면 문제는 모른 척 덮어두고 유튜브 보는 재미에 빠져 '각자 알아서 잘 살자.'고 한다. 벌써부터 이렇게 물과 기름처럼 겉돌면 알맹이 없는 미래의 무미건조함은 불 보듯 뻔하다.

문명의 이기(利器)는 인류에게 많은 혜택을 주기도 하지만 생

---

1) 호주, 시드니 서부소재 터키 - 멕시코 퓨전 레스토랑 '파자르 푸드 콜렉티브(Pazar FoodCollective)' 시드니CBD 소재 '비스테카(Bistecca)' 시드니 울루물루 소재 '컨택트바와 키친(Contact Bar and Kitchen)' 그리고 영국 레스토랑 체인점 '프랭키와 베니(Frankie and Benny's)' 2019. 3월 29일자 Weekly Vision신문 재인용.

각지 못한 문제를 야기하는 경우도 있다. 발전의 수레바퀴를 되돌릴 수는 없으니 미래를 위해 슬기롭고 조화롭게 이용하는 지혜가 필요한 때다.

3.

특별한 화요일

깨어있고 싶은 할머니

건너편 살던 클라우디아 할머니가 요양원으로 가신 지 벌써 두 달째다. 그동안 집 주인이 바뀌어 전면적인 내부 공사가 한창이다. 당신의 몸가짐만큼 늘 단정했던 할머니의 뜰은 민들레에게 점령당했다. 이 꽃은 공원둔치나 길섶에서 만나면 아주 반갑지만 번식력이 강해 정원에서는 성가신 꽃이다.

6년 전, 이 동네로 이사 왔을 때 이웃인 좌우, 앞뒤 모두 80~90대 노인들로 두 댁은 부부가 그리고 두 댁은 할머니들만 계셨었다. 연세가 많은 분들이 주변에 계시니 조용하고 깨끗했는데 아시안이 이사 오자 각별히 신경 쓰며 친절하게 대해주셨다. 우리 역시 그분들을 뵐 때마다 고향의 부모님 같아 젊은 우리가 할 수 있는 일, 잔디의 경계부분을 깎거나 매주 비워진 쓰레기통을 그들의 집 앞까지 옮기는 등 사소한 것들이지만 성심껏 도왔다.

주변뿐 아니라 동네 전체에 유난히 노인들이 많은 것 같아 뒷집 할아버지께 연유를 여쭸다. 세계 2차 대전 후, 참전 군인들을 위해 정부에서 주선한 동네라 그렇다고 하셨다. 당신은 참전과 상관없지만 옆집의 필리 할머니와 길 건너 앞집 클라우디아 할머니는 전쟁미망인들이라고 조심스럽게 말씀하셨다.

가끔 두 분이 베란다에서 담소하는 것을 보았는데 설명을 듣고 보니 좀 더 특별한 관계임이 이해되었다. 그녀들의 부군들께서 전사했는지 혹은 부상당해 후유증으로 고생하다 돌아가셨는지의 여부는 실례가 되는 것 같아 차마 묻지 못했다. 어쨌든 수년 동안 홀로 가정을 돌보느라 애쓰셨을 텐데 이제 그 빈자리를 도란도란 어루만지며 가까이 지내는 모습을 볼 때마다 마음으로나마 축원했었다.

두 분 중 옆집 필리 할머니는 80대 후반이어서 바깥출입이 적었다. 그녀에 비해 클라우디아 할머니는 건강해서 주변 할머니들과 활발하게 교류하며 정원을 열심히 가꾸셨다. 아침마다 잡풀들을 뽑았는데 특별히 그 댁은 민들레가 많았다. 할머니 그림자가 며칠 보이지 않으면 어느새 '메롱' 약 올리듯 노란 꽃잎을 열곤 했다. 잔디를 깎을 때도 기계가 닿지 않는 부분은 며칠씩 소일삼아 가위로 가지런히 정리하셨다.

밖에서 보내는 시간이 많으니 자연스럽게 우리와 만날 일이 많았다. 어떤 날은 나의 옷차림에 대해 칭찬하고 또 우리 집 화단의 상추나 깻잎에 대해 묻는 등 밝은 표정으로 경청하며 호응하고 격려하셨다. 남편과 큰소리로 언쟁한 다음 날엔 차마 얼굴 뵙기가 민망해 그냥 지나칠까 하다가 예의가 아닌 것 같아 전날의 일을 사과하면 '젊다는 증거'라며 대화를 많이 하라고 조언하기도 하셨다. 다른 노인들에 비해 늘 늦게까지 불이 켜 있는 것이 안쓰러워 "왜 일찍 주무시지 않냐?"고 여쭈니 "깨어있는 시간을 오래갖고 싶다."는 의미심장한 말씀을 하셨다. 이후 잠자리에 들기 전, 할머니의 방 불을 확인하는 버릇이 생겼다. 저 연세에도 뭔가를 위해 저렇게 노력하는데 젊은 난 생각 없이 시간만 낭비하는 것 같아 가급적 그 방의 불이 꺼진 후 잠들고자 노력했다. 그랬던 할머니께서 언제부턴가 바깥출입이 뜸하시더니 난데없는 "NO"라는 외침이 하루에 서너 번씩 정적을 깼다. 그리고 딸인 듯한 젊은 여성이 할머니 대신 강아지를 돌보며 우편물을 챙기고 매주 목요일 쓰레기통을 밖에 내놓았다.

'할머니께 무슨 일이 생겼구나.' 싶어 동네 이장님 같은 뒷집 할아버지께 또 여쭈었다. "기억을 잃어버리는 병과 싸우고 있다." 말하자면 치매에 걸려 딸이 간병 중이라고 했다. 며칠 전 할아버지 내외가 방문 했는데 이웃인 자신들을 전혀 알아보지 못했다면서 좀 복잡한 그 댁 사정을 설명하셨다. 너무 놀라워

'기억을 잃어 버렸다.'란 단어만 머릿속에 가득하고 더 이상 아무 말도 들리지 않았다.

'깨어있는 시간을 오래 갖고 싶다'던 할머니께 치매는 형벌로 소중한 일상과 추억을 잃고 있는 것이 도저히 믿기지 않았고 그만큼 더 안타까웠다. 뜰의 아름드리나무에 빨간 리본을 매어 크리스마스 시즌을 알리며 긴 밤, 달을 벗 삼아 한 땀 한 땀 수놓은 부엌수건을 곱게 포장하여 건네시던 그녀를 이제는 더 이상 만날 수 없다고 생각하니 먹먹하고 슬펐다.

이후 그녀는 당신 집에서 서너 달을 더 머물렀다. 할머니와는 다르게 성격이 괄괄한 그녀의 따님은 동네 아침을 "NO"로 열고 "NO"로 마무리 했다. 할머니와 가장 친했던 옆집 할머니는 딸의 간병이 오히려 그녀의 병을 악화시킨다며 볼멘소리를 했다. 그리고 어느 날부터인가 "NO" 소리는 더 이상 들리지 않았고 'SALE' 간판이 붙었다.

가까이에 산도 있고 워낙 조용한 동네라 집은 빨리 팔렸고 젊은 새 주인은 빠르게 할머니의 자취를 지우는 중이다. 공사현장의 소음과 정원인지 민들레 꽃밭인지 구분조차 할 수 없이 황폐한 그녀의 뜰을 물끄러미 바라본다. 할머니의 불행이 가족 전체의 큰 불행으로 번지질 않길 기도한다. 그녀의 안부가 몹시 궁금하고 단아했던 미소가 그립기만 하다.

낚시 입문

호주살이는 좀 따분해서 한두 가지씩 취미활동을 하는데 테니스, 축구, 골프 등과 같은 운동이 대세인 것 같다. 우리 부부의 공동 취미는 식물 가꾸기며 남편은 뚝딱뚝딱 만들기를 좋아하고 난 책읽기가 취미다. 집안에서 뭔가에 몰두하는 것이 공통점인데 나이 들며 친구들과 어울리는 것에 비중을 두기로 생각을 바꿨다. 그러던 참에 최근 낚시에 입문한 친구가 구경삼아 한번 가자고 권해 따라 나섰다.

차로 30분 정도 도심을 빠져 나가면 낚시하는 모습을 어렵지 않게 볼 수 있다. 그 모습을 볼 때마다 '뭔가 잡히기는 하는 걸까? 아마 자연을 즐기며 마음공부 하는 거겠지?' 정도로 생각했는데, 의외로 낚시가 취미인 한국인들이 많다고 했다. 처음이니까 크게 기대치 않고 시원한 바닷바람 맞으며 주변 산책하고 라면 끓여 먹는 재미만 생각했다.

새벽에 네 팀의 친구들과 만나서 30분 동안 차를 달려 목적지인 North Stradbroke Island 행 첫 배를 탔다. 그 섬을 잘 아는 친구의 도움으로 어렵지 않게 낚시 포인트를 찾은 남자들은 그의 지시(?)대로 자리를 폈고, 여자들은 전망대(Look Out)에 올라 주변을 살폈다.

전망대 오른쪽은 길게 모래사장이 펼쳐졌는데 여러 대의 4륜 구동차(4WD)들이 전력 질주했고 바다에서는 서핑 족들이 파도를 즐기고 있었다. 군데군데 바위를 배경으로 낚시꾼들의 모습이 보였는데 파도가 세서 좀 위험해 보였다. 우리는 남성들에게 욕심 부리지 말고 조심하며 즐길 것을 당부하고 긴 모래사장을 걸었다.

파도소리, 모래 소리에 귀 기울이다가 누군가 "고래다."라고 소리치면 바다쪽 한번 쳐다보고 서핑 족들의 현란한 묘기를 힐끔거리며 즐겼다. 파도에 밀려온 조개껍데기는 소녀적 감수성을 자극했고 시원하고 아름다우니 은퇴하면 섬에서 살자며 수다 떨다가 문득 낚시터가 궁금해 바위 쪽으로 향했다.

예상했던 대로 세 명은 모두 한두 마리씩 잡았는데 남편은 빈손이었다. 미끼를 바다에 던지면 고기들이 번번이 따 먹어 보충하기에 바빴고, 가끔 신호가 오긴 하는데 처음이다 보니 감이 없어 놓치고, 어쩌다 낚싯대를 걷어 올리면 바위에 걸려 끊어먹기 일쑤니 보기에 딱했다. "차라리 낚싯대 접고 친구들의 미끼나 끼워요." 했더니 "내공이 필요해."라며 굳건히 자리를 지켰다.

그러던 중 갑자기, 옆의 친구가 몸을 활처럼 구부리며 낚싯대를 움켜잡고 전투태세를 취했다. 모두 긴장하며 쳐다보니 좌우로 왔다 갔다 하는 낚싯줄 끄트머리에 희끗한 물고기 머리부분이 보였다. 지켜보던 두 친구 중 한 명은 뜰채를 들고 조심스럽게 접근하고 나머지 한 명은 낚싯대를 함께 당겼다. 바위주변의 파도는 위협적인데 세 사람은 승부에 열심이고 남편은 촬영에 열중했다. 힘겨루기 끝에 모습을 드러낸 물고기는 기다리고 있던 뜰채에 들려 뭍으로 올라왔다.

"아주 큰 브림(Bream)이다." 길이를 재니 40㎝가 넘었다. 브림은 도밋과의 바닷물고기로 30㎝이상만 잡을 수 있는데 생태계 보호를 위해 규칙을 잘 지키는 일행의 모습이 흐뭇했다. 물고기를 잡은 주인공은 기념촬영을 했고 그 모습을 보며 헤밍웨이의 소설 『노인과 바다』를 생각했다. 노인이 청새치와 사투벌이는 모습이 이해되지 않았는데 40㎝정도의 브림 잡는 현장을 목격하니 그 소설의 전반적인 분위기를 정확히 알게 되었다.

"오늘 아주 좋은 구경했어요. 수고하셨는데 간단하게 컵라면 어떠신지요?" 너스레를 떨며 준비한 컵라면에 물을 부었는데 반응이 뜨악했다. 모두 심기일전하여 낚싯대를 바투 잡고 바다를 노려보고 있다. 겸연쩍어진 여자 친구들은 '금강산도 식후경' 이라며 남편들 옆에 각자 몫의 컵라면을 곱게 모셔놓고 동그랗게 앉았다. 새벽밥 먹고 긴 백사장을 걸어 시장했던 우리는 뜨거운 컵라면과 커피를 맛있게 먹었다. 그리고 한결 여유 있게 바다와 수다를 즐기는데 남편이 내 쪽을 보며 자랑스럽다는 듯 낚싯대를 번쩍 들어 올렸다. '옳거니, 드디어 한 마리 잡았구나.' 응원 차 내려가니 아이들 손바닥만한 작은 병어가 팔딱거리는데 온통 은빛으로 생김새도 귀엽고 예뻤다. 생애 처음 물고기를 낚았으니 인증사진 찍고 다시 바다에 놓아주었다.

배 시간에 맞춰 돌아갈 채비를 하는데 물통을 들여다보니 큰 브림을 중심으로 여러 마리의 물고기들이 좁은 물통에 갇혀있다. 순간 측은한 마음이 들고 '살생하지 말라'는 부처님의 가르침이 뇌리를 스쳐 좀 언짢았는데 건전하게 즐기는 놀이니까 널리 용서해 달라 기도하며 선착장에 도착했다. 배를 기다리는 동안 낚시 무용담이 오가는데 이 자리에 초대한 친구가 남편에게 한마디 던졌다.

"오늘 사용한 낚싯대는 짧은 거라서 크게 기대하지 않았는데 한 마리 낚으신 걸 보니 그쪽으로 재주가 있는 것 같아요. 조만간 길고 좋은 낚싯대를 마련할 테니 가끔 얼굴 보여주세요." 그러자 한 친구가 그 말을 받아 "낚시의 묘미는 손맛, 눈맛, 입맛이랍니다. 오늘 얼떨결에 손맛, 눈맛 느꼈으니 얼른 집에 가서 확실하게 입맛 느끼시고 한 달에 한번은 바다에 나오는 걸로 합시다. 부부가 함께하니 좀 좋습니까? 기대됩니다."라며 분위기를 돋웠다. 묻고 대답하며 깔깔 웃는 친구들의 모습이 더 건강하고 여유로워 보이는 것은 푸른 바다와 묵직한 물통 때문인 듯했다. '늦게 배운 도둑질에 날 새는 줄 모른다.'는 말처럼 낚시의 확실한 3맛을 위해 당분간 우리 부부는 새벽잠을 반납해야 할 것 같다.

그녀의 보물

비 한 방울, 구름 한 점 없이 33도를 웃도는 더운 날의 연속이다. 잔디는 누릇하고 화초들은 서둘러 자잘한 꽃 몇 송이 피우고 이내 시든다. 사람 역시 더위에 시달리다보니 집안 살림은 꼭 필요한 것들만 대충하고 먹거리는 국수류나 덮밥 등으로 간단하게 해결한다. 이쯤 되면 '이열치열(以熱治熱)'이라고 뜨끈한 국물이 있는 탕(湯)이나 찌개가 그립다. 마침 냉장고에 귀한 '집 된장'이 있어 조금만 꼼지락거리면 근사한 점심이 될 것 같아 자리를 털고 일어났다.

한국 중년의 식탁에 아직도 중요한 한 것이 된장, 고추장 같은 장류인데 식품 회사의 된장은 들척지근해서 좋아하지 않는 편이다. 그동안 솜씨 좋은 친정엄마 덕분에 집 된장 귀한 줄 몰랐다가 사 먹게 되니 그 맛이 두고두고 아쉽기만 했다. 그런데 아주 가까운 곳에 엄마 손맛을 가진 분을 알게 되어 된장 문제가 해결되었다.

그녀는 올해 82세로 브리즈번 한인문학회원이다. 매월 모임을 갖는 문학회는 햇수로 16년째인데 그녀는 초창기부터 열심히 시를 쓰는 원로 멤버다. 그 모임의 신참인 나와 집이 같은 방향이라 모임 때 함께 이동하면서 특별한 사이가 되었다.

항상 겸손하고 감사하는 마음으로 매사 긍정적이며 즐겁게 생활하는 그녀를 처음 만났을 때 친정 엄마처럼 편해서 존댓말과 반말을 섞으며 허물없이 따랐다. 그런 나를 그분 역시 고맙게 생각하여 만날 때마다 당신의 마음을 담은 뭔가를 차 뒷좌석에 조심스럽게 놓곤 했다. 술 좋아하는 남편을 위한 간단한 스낵부터 과일 그리고 밑반찬까지 갈수록 종류가 다양해지더니 나중에는 매실청, 간장, 된장 등 정말 귀한 것들을 주셔서 나를 놀라게 했다.

"매실은 어디서 구하셨나요? 겨울이 없어도 장류가 가능한가요?" 질문은 용수철처럼 튀어 나오며 계속되었다. 그녀는 빙그레 웃으면서 집에 자급자족할 만한 매실나무가 있다고 했다. 그리고 한국주부라면 그 나이에 장을 못 담그는 것이 오히려 이상하다며 당신 집 장독대에는 직접 삭힌 젓갈까지 있다고 대수롭지 않게 말씀하셨다.

그날로부터 난 매실나무가 있는 그 댁 정원과 장독대를 상상

했는데 얼마 후 기회가 왔다. 설레는 마음으로 조심스럽게 담장 문을 들어선 순간 뒷마당의 크기에 놀랐다. 살림채만한 뒷마당엔 크고 작은 유실수가 많았는데 그녀가 가장 아끼는 매실나무는 뒤쪽에 음전하게 자리 잡고 있었다.

마침 봄철이어 가지마다 하얗게 꽃을 피워 벌을 불렀고 구기자, 석류, 무화과, 구아바, 블루베리 등 다양한 인종들이 모인 것처럼 그렇게 어울려 꽃 피고 열매 맺고 있었다. 유실수 그늘을 터전으로 초화들이 빼곡히 자라는 정원에 징검다리처럼 놓인 벽돌은 장독대 드나들기 편하게 했고 식물 간 경계 역할도 했다.

넓게 펼쳐진 꽃밭 끝자락, 마당에서 제일 서늘한 곳에 그 댁의 보물인 장독대가 있었다. 그 앞의 텃밭에는 부추, 파 같은 양념거리와 상추, 깻잎, 아욱 등 푸성귀들이 자라고 있었는데 슈퍼마켓의 채소 진열장 같았다. 이렇게 정성들여 키운 채소로 장아찌를 담거나 겉절이를 만들어 모임 때마다 고향의 맛을 선보였고, 우리는 그 특별한 음식을 나누며 향수를 달래곤 했다.

장독대에는 중간 크기의 항아리들이 각종 장류를 품고 의젓한데 반질거리며 빛나는 요즘 것들과는 달리 투박하고 거친 질감이 고향의 멋을 풍겼다. 35년 전 이민 올 때 가져왔다고 했는데 묵직한 것이 주인을 닮은 듯했다. 고추장이나 매실청은 크게 수고하지 않아도 항아리를 채울 수 있는데 된장은 온화한 날씨 때문에 만들기도 보관하기도 까다롭다고 했다.

겨울이래야 20도 안팎이니 메주를 말리면 덤벼드는 파리 때문에 신경이 많이 쓰인다고 했다. 손수 만든 얇은 망사 자루에 메주를 담아 긴 옷걸이에 빨래 말리듯 걸어서, 낮에는 햇볕 쪼이고 저녁에는 지붕 밑으로 들이는 수고를 게을리 하면 안 된다고 했다. 2~3년마다 한 번씩 된장을 담는데 이 방법은 부부가 고안한 것으로 지금까지 아주 만족스럽다고 자랑스럽게 말씀하셨다.

구수한 냄새를 풍기는 누렇게 익은 된장을 큰 통에 가득 퍼주면서 하시는 말씀이 "더운 날씨에 된장이 싱거우면 맛이 변할까봐 소금을 많이 얹었어. 지금은 짭짤해도 메주콩을 삶아 갈아서 함께 버무리면 간도 알맞고 양도 많아져 당분간 된장 걱정 안할 거야. 70후반부터는 이걸 담글 때마다 이번이 마지막일지 모른다는 생각에 힘들기보다는 숙연함이 앞서."라며 쓸쓸히 웃으셨다.

두부, 호박, 풋고추를 넣은 된장 뚝배기는 보글보글 기분 좋게 끓으며 구수하고 매콤한 냄새를 풍긴다. 한 스푼 떠서 호호 불며 맛본 후 마치 그녀가 옆에서 지켜보는 듯 "감사합니다."라며 인사한다.

최근 인간 수명이 길어짐에 따라 아름다운 노년에 대한 글들이 많다. 공감하는 글 중에 나이 신경 쓰지 말고 좋아하며 관심 있는 것을 배우라 한다. 또한 매사에 감사하며 작은 것이라도 주변과 나눌 것을 권한다. 이 밖에도 젊은 사람들과 어울리며 책을 가까이 하고 가능하다면 소박한 자서전 쓰기도 도전하라 한다. 글을 쓰면 생각이 정리되고 자신을 성찰할 수 있으니 마무리도 가볍고 모습도 아름답기 때문이리라. 이런 글을 대할 때마다 늘 소녀처럼 수줍게 웃으시며 나눔을 실천하는 그녀가 떠오른다. 그녀는 나의 미래다.

사프란을 아시나요?

브리즈번의 겨울 낮 평균기온은 20~27도 정도다. 일터로 향하는 아침 신호등 앞, 반팔부터 코트와 머플러까지 사계절이 공존한다. 양지는 따뜻하고 실내는 으슬으슬 추워서 집에 머물 때는 물주머니나 부분적으로 히터를 사용한다. 상황이 이렇다 보니 뜨거운 음료를 자주 마시는데 물은 밍밍하고 커피는 수면에 지장이 많아 현미녹차나 생강차를 주로 마신다.

오늘은 에어비엔비 손님이었던 알리(Ali)씨가 선물한 사프란(Saffron)이 생각나 물을 끓였다. 잘 말린 사프란은 짙은 붉은 빛으로 마치 실고추 같은데 3~4개를 조심스럽게 컵에 넣고 끓는 물을 부었다. 양(量)이 많은지 물은 금방 노란색으로 변했는데 생각보다 향이 없어 맛이 궁금했다. 후후 불며 한 모금 넘겼는데 아름다운 찻물 색에 비해 맛은 신통치 않았다. 그래도 건강에 도움이 되고 기분 나쁜 추위를 잠시나마 잊게 해주니 컵을 감싸며 알리(Ali)를 생각했다.

그는 68세로 이란계 호주인이다. 40년 전에 호주로 이민 왔다고 했는데 모국과 자신에 대한 자긍심이 대단했다. 눈만 마주치면 산유국인 모국부터 자신과 가족 그리고 이란과 중국에 있다는 비즈니스까지 자랑에 열을 올렸다. 내가 아는 이란은 이슬람 문화권으로 종파간 분쟁이 잦으며 특히 여성 인권이 낮은 문제의 나라 정도여서 그의 말을 허풍 정도로 받아들였다.

자신 이야기만 하다가 좀 미안했던지 본인이 알고 있는 한국 이야기로 화제를 돌렸다. 멋지고 아름답고 똑똑한 사람들이 많으며 특히 김치에 대해 나보다 더 많이 아는 체를 했다. 허풍과 자랑은 심했지만 막무가내는 아니어서 일주일 동안 그런대로 즐겁게 잘 지냈다.

마지막 날, 특별한 선물이라며 뭔가를 가져와 이름을 말했는데 귀에 들어오지 않아 스펠링을 요구했다. 그는 '자프란(Zaffron)'과 '사프란(Sffron)'을 써 놓고 이란 발음은 자프란, 영어 발음은 사프란이라 했다. 순간 "아! 사프란." 섬유유연제가 생각나 향기 좋은 꽃이라며 아는 체를 했다. 나의 적극적인 반응을 열렬히 환영하며 더욱 열정적으로 이란이 주산지라는 그 꽃, 사프란에 대해 설명하기 시작했다. 아무리 열심히 설명해도 다 알아듣는 수준이 아니라 얼른 사프란을 검색하여 눈으로 읽으며 경청했다.

사프란은 붓꽃과의 여러해살이풀로 아름다운 보라색과 분홍색 꽃이 깔때기 모양으로 피며 향기가 좋다고 한다. 특히 꽃속에 붉은 3개의 암술대 말린 것을 '사프란'이라 하는데 화장품 원료와 약용으로 이용한다고 한다. 꽃보다 암술대인 사프란이 더 유명해서 풀의 이름으로 굳어졌다고 한다.

놀라운 것은 1g의 생약에는 140개의 꽃이 필요하고 1파운드(약 450g)를 얻기 위해서는 7만 5천 개의 꽃을 따야 한다고 했다. 또한 일 년에 한번 2주 동안 수확하는데 꽃술이 실처럼 가늘어 수작업으로만 가능하다고 했다. 더욱 중요한 것은 아직까지 그것을 대체할 수 있는 다른 물질이 발견되지 않아 금보다 비싸다고 한다. 약으로서의 효능은 뇌와 위장의 건강을 돕고 시력회복은 물론 혈액순환까지 그야말로 만능 재주꾼이라 했다. 설명하는 동안 내 시선이 휴대폰으로 가면 한 번씩 툭 건드려 주의를 집중시킨 후 다시 이야기를 이어갔다.

산야의 식물이 인간의 식탁이나 약으로 이용되기까지 얼마나 많은 실험과 착오가 있었을까? 더구나 나무나 꽃 혹은 열매도 아닌 작고 가는 암술대의 효능을 실용화하기까지 대대로 연구한 선조들의 집념이 놀라웠다. 이제 그 식물이 세계 속에 이란을 알리는 특산물이 되었으니 열정적으로 자랑할 만하다고 생각했다. 국가와 민족의 자긍심을 높이는 사프란을 나와 공유하고 싶어, 비싸지만 흔쾌히 나누어준 그를 생각하며 또 한 모금 꿀꺽 삼켰다.

이제 이란인을 만나면 반색하며 이야기할 소재가 한 개 더 늘었다. 이렇게 사프란은 한국의 김치처럼 민간외교에 큰 몫하는 식물이 되었는데, 꽃만큼 아름답고 모두에게 평화로운 나라가 되길 기도하며 컵을 비웠다.

아낌없이 주는 나무

아침부터 개 짖는 소리가 소란스럽다. '낯선 손님이 있나 보다.'라고 예사롭게 생각했는데 합창이 그치질 않는다. 이쯤 되면 너나없이 주변을 살피는데 옆집 근처에 형광색 작업복을 입은 서너 명의 남성들이 서성이고 있다. 10분쯤 지났을까? 옆집 할아버지께서 역시 작업복 차림으로 나타나서 모여 있던 사람들을 댁의 큰 나무 밑으로 안내했다. 그리고 일일이 이웃들을 방문하여 마당가의 큰 마카다미아(Macadamia) 나무를 자르기 때문에 소음과 먼지가 있을 거라며 양해를 구했다.

건축 일을 하는 할아버지는 누구보다도 집 관리에 열심이다. 최근 지붕 청소차 올라가보니 마카다미아 잎들이 수북해서 우기(雨期)에 문제가 생길까봐 나무를 제거한다고 했다. 설명을 듣고 보니 큰 기계를 실은 차와 사다리, 밧줄 그리고 전기톱들이 작업을 위해 가지런히 놓여있다. 이제 몇 시간 후면 유난히 잎이 반짝이는 아름다운 저 나무는 흙으로 돌아가는데, 사라질 나무의 미덕(美德)과 추억을 열거하며 아쉬움을 대신한다.

이사 오던 해 가을, 옆집 할머니께서 처음 보는 열매를 한 바구니 가져오셔서 이 나무를 알게 되었다. 열매는 호두처럼 단단했는데 중간크기의 유리구슬처럼 표면이 매끈하며 크기도 비슷했다. 정체를 묻자 이름을 가르쳐주셨는데 망치로 어렵게 껍질을 깼더니 지름 1㎝의 동그랗고 뽀얀 우윳빛 열매가 고소하고 맛있었다. 연거푸 서너 개를 깬 후 인터넷을 검색하니 호주 퀸슬랜드가 원산지고 간식이나 술안주 특히 고급 초콜릿을 만들 때 사용한다고 했다. 맛은 있으나 껍질 깨기가 어려워 먹기를 포기하고 목기(木器)에 담아 장식장 위에 올려놨다. 주변 분위기가 금세 고즈넉한 가을로 변해 관상용으로 아꼈다.

이후 아는 것보다 낯선 것이 더 많은 이곳에서 내가 잘 아는 나무가 되어 아침저녁 안부는 물론 손님이 오면 잊지 않고 소개하는 명물이 되었다. 곁가지가 많음에도 고딕(Gothic) 건물처럼 우뚝 솟은 이 나무는 멀리서도 그 존재를 알 수 있을 만큼 훌륭하고 늠름했다. 속 또한 깊어 각종 새들은 물론 적잖은 곤충들의 안식처가 되고 그늘 역시 넓어 초화(草花)나 덩굴식물들의 든든한 버팀목이 되었다.

여름날 오후에는 이 나무로부터 바람이 일어 더위에 지친 식물들을 차례로 깨워 춤추게 했고 창문을 두드려 우리에게도 시원함을 선물했다. 그리고 가을이 되면 단단하게 익힌 열매를 아람 벌은 밤처럼 툭툭 내려놓았는데 할머니 댁의 개, 제시는 입 주변 근육을 모두 동원하여 그 딱딱한 것을 깨기 바빴다. 지켜 보건대 개에게 그 열매는 훌륭한 장난감이거나 치아를 단련시키는 도구 같았다.

그러나 이 나무 주변이 언제나 향기롭고 평화로운 것만은 아니었다. 야행성 동물인 포섬(Possum)과 고양이, 심지어 뱀까지 그곳에 보금자리를 마련한 생물들을 위협했다. 특히 소리로 소통하는 새들은 다급한 울부짖음과 어지러운 날갯짓으로 서로에게 긴급 상황을 알렸다. 그럴 때면 이 멋진 나무에게 악의 무리를 혼내주는 전설 같은 활약을 기대하기도 했었다. 이처럼 주변 풍경의 구심점이었던 나무가 오늘 잘릴 운명에 처한 것이다.

작업 준비를 마친 일행 중 근육질의 남성이 허리에 밧줄을 감고 전기톱을 들고 전문가답게 사다리에 올랐다. 잘릴 가지에 밧줄을 묶고 전기톱으로 자르는 광경은 아슬아슬 손에 땀을 쥐게 했다. 그렇게 잘린 가지들은 대기하는 작업자들에 의해 차에 실려 있는 큰 기계, 멀처(Mulcher)*의 투입구에 넣어졌다. 순간 맹렬한 기계음과 함께 나뭇가지는 멀치용(用)으로 적당하게 잘려 출구로 쏟아졌다. 아름드리나무가 몽당연필처럼 잘린 모습을 보니 놀라웠는데 4계절 내내 나무가 자라는 환경이니 기계도 용도에 맞게 잘 발달된 것 같았다.

일사불란한 손놀림으로 작업은 마무리 되었고 이제 나무는 멀치가 되어 또 다른 쓰임새를 기다리고 있다. 할아버지는 산더미 같은 멀치의 일부를 우리 마당 한 귀퉁이에 보관하자고 했다. 봄 화단에 꼼꼼하게 덮어놓으면 수분 보존은 물론 극성스럽게 자라는 잡초의 번식을 줄이기에 요긴하다고 했다. 새내기 이웃을 늘 배려하는 마음이 감사했다.

모두가 돌아간 자리, 아직은 축축한 기운이 있는 멀치를 손에 쥐고 쉘 실버스테인(Shel Sliverstein)의 『아낌없이 주는 나무』를 생각했다. 작품 속 사과나무가 자신의 모든 것을 주인공에게 주었듯 이 나무 역시 충실하게 제 생(生)을 다하고, 이제 화단을 어루만질 멀치로 거듭났다. 한 세상 잠시 들렀다 사라질 우리의 마무리도 이만만 하면 좋겠구나 생각하다가 문득 뭔가를 발견했다. 순간 탄성이 터졌는데 그루터기 주변에 손가락만 한 싹들이 서너 개 돋아 있었다. 망치로도 깨기 어려운 그 껍질을 뚫고 어느새 나무는 다음 생을 준비하고 있었다.

*멀처(Mulcher): 나무를 잘게 잘라서 멀치(보통 화단의 수분보존, 온도조절, 잡초방지, 토양침식방지용으로 사용)로 이용할 수 있도록 분쇄까지 할 수 있는 기계

아버지를 어루만지다

가을볕이 국화를 졸게 하는 오후, 보물이나 되는 듯 꼼꼼히 싸 두었던 사진들을 정리한다. 이민 올 때, 여행 가방만 들고 와서 그간 앨범이나 메모노트 등의 안부가 궁금했는데 동생들이 잘 챙겨서 배편으로 보내왔다. 우선은 반갑게 훑어보고 조만간 정리해야겠다고 마음먹은 것이 벌써 일 년 전이다. 최근 딸 노릇하던 둘째 아들이 독립해서 허전함을 채울만한 뭔가를 찾던 중, 앨범정리가 생각났는데 덕분에 돌아가신 아버지와 오붓하게 마주했다.

장녀인 난 이민 오기 전까지 친정왕래가 잦았고 휴가나 친척들의 경조사에 부모님을 모시고 다녀서 함께 찍은 사진이 많았다. 대부분의 아버지 사진은 50~70대 무렵 모습이어서 건강하고 편안해 보였는데 정면을 향해 빙그레 웃는 모습을 보니 눈시울이 뜨거워졌다. 아버지는 작년 8월, 81세의 나이로 어느 시인의 표현처럼 소풍 마치고 돌아가셨다.

그는 7세 때 사고로 청각장애자가 되었지만 생활력 강한 정상인과 결혼하여 슬하에 1남 3녀를 두었다. 결혼 전에는 자의식 과잉으로 열등감에 시달리는 등 어려움이 많았지만, 가정을 이룬 후에는 시골 농부가 흔히 겪는 가난함 이외에는 별 걱정 없이 70대 후반까지 편안한 여생을 누렸다. 그러나 말년에 치매 때문에 소중한 기억들을 모두 잊고 돌아가시기 3년 전부터 요양원에서 지냈다.

요양원은 둘째 동생네 집과 가까워 동생 부부가 아침저녁 방문하며 정성껏 보살폈다. 하지만 부지런히 움직이던 분이 좁은 공간에 하는 일 없이 갇히게 되자 상황이 악화되었다. 걷지 못하고 기억도 가물가물해져서 컨디션이 좋을 때만 가족을 알아본다는 이야기를 듣고 더 이상 지체하면 안 되겠다싶어 아버지를 뵈러 갔었다. 다행히 눈물이 그렁그렁한 그의 눈은 나를 알아보는 듯했다.

학교 문턱도 못 간 그는 첫 딸의 학교생활에 관심이 많았었다. 체구가 작아 행여 동구 밖 언덕을 넘지 못할까 때론 추울까, 겨울날에는 지게에 태워 언덕을 넘게 했다. 방학 과제물로 망원경을 만들 때는 뭉툭한 손으로 열심이셨고 그 과제물로 상을 탔을 때는 나만큼 기뻐했었다.

천성은 활달했지만 장애 때문에 사람들과의 사귐이 어려워 나를 통해 주변과 소통하고 궁금증을 해소하려 했다. 학생인 큰딸은 뭐든지 다 알 수 있을 거라 확신해서 특히 사극(史劇)을 보면 질문이 많았다. 한번은 당신이 겪은 6·25전쟁 이야기를 하다가 전쟁의 원인과 38선에 대해 물었다. 이해를 돕기 위해 그림까지 그리면서 열심히 설명했지만 별 소득 없이 하얗게 밤을 새운 적도 있었다.

병상의 그는 추억을 회상하듯 혹은 낯선 이의 정체가 궁금한 듯 나를 빤히 쳐다보다 마침내, 흐르는 눈물로 반가움을 대신했다. 그렇게 안간힘을 다해 감동적으로 나를 맞이했지만, 난 다만 그의 손을 잡고 베개 높이와 이불 상태를 살피며 요양보호사처럼 움직였다. 반면, 둘째 동생은 노련한 간병인처럼 참을성 있게 간식을 먹이고 목욕까지 시킨 후 "우리 아버지 참 이쁘다. 시원하지?"라며 꼼꼼히 로션을 발라주고 얼굴부터 발끝까지 마사지 해드렸다. 큰일은 책임지고 잘 처리하는 편이지만 보듬고 어루만지는 것은 익숙지 못해 그녀의 일거수일투족을 멀뚱히 쳐다만 보다 돌아왔다.

2년 후, 아버지의 신체 기능은 점점 퇴화되어 호스를 통해 근근이 음식을 섭취하며 하루에도 몇 번씩 고비를 넘긴다는 다급한 소식을 들었다. '살아계실 때 한 번 더 뵙는 것이 효도'라는 생각이 들어 비행기를 탔다. 그리고 이번에는 반드시 아버지의 지친 육신을 살갑게 어루만지며 위로와 감사의 말씀을 드리겠다는 생각만 했다. 만약 그렇게 못하면 평생 후회할 것 같았다.

감사하게도 아버지는 일주일의 시간을 허락하셨다. 나와 비슷한 짤막한 그의 손발은 퉁퉁 붓고 차가웠다. 어렸을 적 내 시린 얼굴과 손을 보듬고 담요에 싸서 지게에 태웠을 때의 아늑함을 눈물로 회상하며, 노폐물을 닦고 어루만지며 호흡을 지켜보았다. 고통이 극에 달해 가끔씩 눈을 번쩍 뜨며 괴로워하면 편하게 숨 쉬는 것이 죄송해, 나 역시 잠시 숨을 멈추고 기도했다. "평생 들리지 않는 설움을 당한 분입니다. 돌아가시는 길은 편안해야 공평한 것 아닙니까?"라며 허공에 호소하기도 했다.

공항에서 "보고 싶은 큰딸의 정성을 느꼈는지 금방 돌아가실 것 같던 아버지가 많이 좋아진 것 같다."는 동생의 위로를 들으며 그 말을 믿고 싶었다. 그러나 3주 후 아버지는 영면하셨다. 운명하기 몇 주 전 짧았지만 함께한 순간들이 있어서인지 장례식 때는 크게 슬프지 않았다. 이제 더 이상 고통스럽지 않을 아버지를 생각하니 오히려 다행이다 싶었다. 다만 늘 보호자가 필요했던 그가 홀로 음습한 죽음의 길을 간다고 생각하니, 길을 잃고 헤매는 것 같아 자꾸 눈물이 났다. 장례를 마친 열흘 뒤, 그는 밝은 얼굴로 꿈속에서 나를 안심시켰고 '부모의 자식걱정은 시공을 초월하는구나.' 생각하니 또 눈물이 났다.

생애 처음으로 가까운 사람을 잃자 삶과 죽음에 대해 골똘해졌는데 『너무 늦기 전에 들어야 할 죽음학 강의』라는 책이 평상심을 찾는데 큰 도움이 되었다. 죽음이란 애벌레가 나비로 몸을 바꾸는 것처럼 육체(肉體)에서 영체(靈體)로 자연스럽게 이동하는 현상이라 했다. 지상에서의 아버지 육체는 노동과 편견으로 적잖은 수모를 겪었지만 영체는 차별 없는 세상에서 편히 지낸다고 생각하니 적잖은 위로가 되었다.

또한 영계(靈界)에 가면 빛이나 인연이 있었던 가족들이 마중하고 자신과 파동이 비슷한 영혼들과 휴식한 후, 좀 더 차원 높은 영적 성장을 위해 다시 지상으로 내려온다고 했다. 그때 업보에 따라 환경이 정해지는데 평생 낮은 자세로 선하게 살았던 아버지의 다음 생은, 지극히 정상적인 육체를 받을 것이라는 강한 믿음도 생겼다. 그리고 우리를 위해 끝없이 기도하는 내 편인 영혼이 있다는 것에 뒷배가 생긴 것처럼 든든함 마저 들었다.

부디 모든 짐 벗고 자유로운 영혼으로 편히 쉬시라는 간절한 기도를 드리며 앨범을 덮는다.

추석 풍경

법당에 들어가니 사람들이 가득하다. 독실한 불자(佛子)가 아니더라도 민족명절인 추석과 설 법회만은 꼭 참석해서 차례를 지내는 나 같은 사람들이 많은 것 같다. 평소에는 삼배(三拜)를 올릴 때 절하기 편한 큼직한 방석이 놓여있는데 오늘은 방석 대신 카펫에 앉아 스님 말씀을 경청한다. 그러다 누군가 문을 열고 들어오면 조금씩 자리를 좁혀 새로운 사람이 불편하지 않도록 서로 배려했다.

미안하고 감사한 마음으로 제일 마지막 줄에 겨우 자리를 잡고 주변을 둘러보니, 외국인도 서넛 눈에 띄고 특히 젊은 층과 대여섯 살 정도의 귀여운 어린이들이 많다. 법당 중앙에는 부처님이 계시고 오른쪽은 신중단(神衆壇) 왼쪽에는 영가(靈駕)들의 위패를 모신 영단(靈壇)이 있다.

법회를 마친 후 조상들께 차례를 지내려고 영단을 향해 나란히 앉았는데 정성스럽게 만든 음식이 푸짐하게 진설되어 있다. 밤, 대추, 곶감을 비롯한 각종 과일과 손이 많이 가는 전류(煎類)와 나물, 거기에 색동 송편까지 명절 분위기가 물씬 난다. 가족단위로 차례를 올리는데 부모님을 따라 절하는 서너 살 꼬마가, 제일 먼저 넙죽 절하고 속도를 맞추느라 일어나지 않는 깜찍함을 보여 참석자들을 웃게 만들었다.

유학생 같은 청소년 몇 명이 절하기에 앞서 차례차례 잔을 올렸다. 경험이 있어 보이는 한 학생은 찻잔에 차(茶)를 받아서 시계 반대 방향으로 세 번 돌린 후, 능숙하고 의젓하게 상 위에 놓았다. 차를 따라주는 어른이 격식에 서툰 젊은이들에게 예법을 가르쳐주면 긴장한 얼굴로 잘 듣고 차분하게 잘 따라했다.

한국인 아내와 함께 차례를 지내는 몇몇 외국인 사위들의 표정도 진지했다. 다리가 길어 절하는 것이 불편해 보였는데 허리가 반쯤 나와도 개의치 않고 배우자 나라의 문화와 예법을 존중하는 태도가 흐뭇했다. 가족 단위로 순서에 맞춰 차례를 지내는 동안, 나머지 사람들은 나무아미타불을 암송하거나 영단에 삼배했다. 소박하지만 정성이 가득한 의식을 마친 후 떠들썩한 공양시간이 되었다.

여러분들이 마련한 맛있는 음식을 삼삼오오 둘러앉아 먹으며 한가위 달처럼 푸짐한 덕담을 나눴다. 절하느라 애쓴 외국인

사위들의 상차림은 좀 더 푸짐하고 특별했다. 소곤소곤 정담도 들리고 어르신들의 파안대소, 꼬마들의 깔깔거림이 한적한 숲 속 멋진 교향곡처럼 울려 퍼졌다.

난 우리나라 명절 중 특히 추석을 좋아한다. 가을이라 기후가 알맞고 오곡백과가 풍성하며 절식(節食)인 송편을 좋아해서다. 추석이 다가오면 우리 부모님들은 손님맞이 대청소를 하시고 창호지를 다시 바르며 보송보송한 가을 햇빛에 이부자리를 빨아 시쳤다. 우리 집은 둘째여서 차례를 모시지 않았는데 한 동네에 살던 할머니께서 연로하셔서 손이 많이 가는 송편과 부침개는 우리 집에서 준비했었다.

우리 집 자매들은 마루에 앉아 송편을 빚었는데 "송편을 예쁘게 빚어야 예쁜 딸을 낳는다."는 엄마 말에 처음에는 서로 자기 것이 예쁘다고 자랑하며 정성을 다했다. 그러나 이내 지루함과 떡 먹을 생각만 가득했던 우리들은 엄마의 감언이설(?)에 동요치 않고 좀 더 크게 빨리 떡을 만들었다. 향긋한 솔잎을 깔고 찐 쫀득한 송편은 담백하고 맛있어서 솥에서 꺼내기가 무섭게 서너 개씩 먹어 치웠었다. 그럭저럭 음식이 마련되고 아버지께서 호젓하게 앉아 제사상에 올릴 밤을 깔 때쯤이면 외지에 나갔던 고모와 삼촌들이 왔다. 인사는 했지만 함께 살았던 적이 없고 일 년에 서너 번 손님처럼 만나니 데면데면 했었다.

그러나 추석날 아침, 차례를 지내고 성묘를 갈 때면 분위기는 화기애애했고 막내 삼촌은 성묘 길의 쑥부쟁이 꽃과 과수원 울타리의 샛노란 탱자도 서너 알 따주었다. 고모들은 장독대에 이울어진 봉숭아꽃을 알뜰하게 따서 연례행사처럼 꽃물을 들였다. 쑥스러워 주변을 배회하는 우리를 불러 새끼와 약지 손가락에 으깬 꽃을 올리고 잎으로 마무리한 다음 칭칭 동여매 주었다. "첫눈이 올 때까지 꽃물이 빠지지 않으면 소원이 이루어진단다. 공부 잘하게 해달라고 기도해."라며 머리를 쓰다듬을 때 어린 마음에도 피붙이를 챙기는 정성이 느껴져 그들이 '며칠 더 머물면 좋겠다.'라는 생각을 했었다.

절에서 돌아오는 길, 차 안의 화제는 역시 추석으로 추억만으로도 아득하고 행복했다. 그러나 정작 한국의 추석은 그다지 행복하지 않은 듯 '추석을 없애 달라.'는 국민 청원이 이어진다는 기사를 읽었다. 또 친척들을 만나면 서로의 결혼, 직업, 출산 계획 등은 가급적 묻지 말라는 조언들까지 말들이 많은 것 같다. 이런 글들을 만나면 물질문명 쪽으로 사회가 급격히 기울어 정신적 가치들을 등한시하는 것 같아 안타깝고 씁쓸하다. 전통을 지나치게 고집하는 것도 문제지만 기성세대의 가치관과 관심을, 간섭이라 무시하려는 일부 젊은이들의 태도 역시 현명치 못한 것 같다. 부디 명절에는 지나치게 격식에 얽매이지 말고 반가운 마음으로 소박하게 만나, 덕담으로 위로하며 서로에게 쉼표 같은 날이면 좋겠다.

특별한 화요일

누구에게나 공평한 하루인데 사용과 의미는 각각 다르다. 주말을 제외하곤 그저 그런 날이었는데 최근 화요일마다 의미 있고 재미있는 일이 생겼다. 틈틈이 모은 재활용품[1]들을 리사이클링 센터(Recycling Centre)에서 개당(個當) 10센트(cent)로 환불받는 일이다. 한 개당 10센트면 한화(韓貨)로 대략 80원, 10개면 800원으로 생각보다 큰돈인데 자연보호차원에서도 마다할 일이 아니다. 자영업자의 경우 일주일에 한 번씩 쓰레기 수거업체에 30불을 지불하는데 재활용품을 따로 모으면 처리비용도 줄고 환불수익까지 생기니 일거양득인 셈이다.

상황이 이렇다 보니 집집마다 사업장마다 교육과 부업으로

---

1) 해당 품목의 플라스틱류는 플라스틱 병(Plastic Bottles), 쥬스 팩(Cartons), 음료수 캔(Cans) 등이며 병류는 와인 병을 제외한 병류(Glass)다. 이밖에도 해당 용기에 10센트 환불이라고 표기된 것들이 포함된다.

참여하는 사람들이 많다. 특히 어린학생들에게는 용돈벌이와 자연보호 학습장으로 인기가 많아 주말에는 하루 종일 복잡하다. 어른 키를 기준으로 설치된 투입구가 높은 기계에 준비한 사다리를 놓거나 부모 팔에 안겨 한 개씩 공 넣듯 넣으면서 환호하는 모습은, 보는 이로 하여금 흐뭇한 미소를 자아내게 한다.

우리는 화요일에 플라스틱류(類)인 페트 병, 쥬스 팩, 음료 캔의 뚜껑과 찌꺼기를 제거하고 가급적 원형을 유지해 큰 봉투에 담고, 유리병은 따로 담아 리사이클링 센터로 간다. 주중에도 사람들이 제법 많은데 그곳에서 제공하는 카트(Cart)에 병과 플라스틱을 가득 싣고 기계 앞에서 금액을 가늠하며 차례를 기다린다.

재활용품의 대다수를 차지하는 플라스틱은 분해되는데 수백 년이 걸린다고 한다. 주변을 떠돌다 땅속이나 바다로 흘러간 것들은 환경오염의 주범으로 특히 바다로 유입되면 해양 동물들의 해로운 먹이가 된다고 한다. 더 심각한 것은 5㎜이하인 미세 플라스틱으로, 해양 동물의 사체에선 어김없이 이것이 검출되며 인간의 식탁까지 위협한다고 한다.

가볍고 편리해서 무심코 사용했던 플라스틱의 폐해가 갈수록 심각해지자 이곳 호주정부는 다각적인 해결방안을 모색하고 있다. 슈퍼마켓에서는 더 이상 플라스틱 백(Bag)을 무료로 제공하지 않고 개당 10센트를 받으며, 오래 쓸 수 있는 장바구니를 함께 판매한다. 판매용 장바구니는 알록달록 예쁘고 크기도 알맞으며 어깨에 멜 수 있어 생활에 멋을 더한다. 그리고 리사이클링 센터에서의 환불 정책은, 수고에 걸맞은 현실적인 금액을 보상함으로써 국민들의 적극적인 참여를 유도하고 있다.

드디어 우리 차례가 되었다. 컨베이어(Conveyor)벨트와 연결된 투입구에 수거용품을 한 개씩 넣으면 LED창에 금액이 표시되고, 물건은 벨트를 타고 흘러가 세분화되어 같은 것끼리 한데 모인다. 처음에는 기계와의 불협화음으로 멈춤이 잦지만 곧 호흡이 맞아 열중하다보면 운동처럼 느껴진다. 만약 해당품목이 아니면 "삑" 경고음과 함께 잠시 기계가 멈추는데 이 멈춤은 쉼표 같다.

작업을 마치면 환불 받을 수 있는 총 금액이 창에 표시되고 현금 수령 여부를 묻는 사인(Sign) 즉, 바우처(Voucher)를 받을지 도네이션(Donation)을 할 것인지를 결정해야한다. 우리 동네 기계는 바우처를 받아서 대형 슈퍼마켓인 울 워스(Woolworths)에서 물건이나 현금으로 교환하는 방식이다. 그 자리에서 바로 해당 금액을 현금으로 지불하는 곳도 있다고 들었다.

이때 후원을 원하면 도네이션 버튼을 누르는데 수혜대상이 궁금해 눌러보니 집 근처 학교와 소방서다. 적지만 소방서에 기부하면서 곁눈질하니 어린 여학생 역시 기부버튼을 눌렀다. 내가 그녀의 행동을 훔쳐보았듯 그녀 역시 나의 행동을 볼 수 있었겠다 생각하니 어른으로서 모범을 보인 것 같아 흐뭇했다. 주변정리를 바치고 센터를 나올 때는 출입구에 마련된 만족도 조사에 참여하는데, 자발적으로 설문에 응답하는 모습에서 성숙한 시민의식을 느꼈다.

자연 사랑으로 시작한 화요일만의 특별한 이벤트가 벌써 일 년이 되었다. 우리가 이 일을 열심히 한다는 이야기를 듣고 분가한 아이들과 가게를 운영하는 친구들까지 뜻을 모아준 덕분에 금액이 꽤 된다. 짭짤하다는 입소문에 회수율이 70%에 달한다는데 실제로 공원이나 산책로에서 재활용 쓰레기를 보기 어렵다. 그만큼 문제의식을 갈고 동참하기 때문이다.

아무리 좋은 정책도 국민의 호응이 없으면 성공할 수 없다. 이 정책은 환경보전이라는 의미 있는 취지에 실천이 쉽고 즉시 혜택으로 돌아오니 개인도 환경도 더불어 행복해진 것이다. 부디 수칙을 준수하고 기기(器機)를 안전하게 사용하며 뒷정리도 잘 해서 공동체 목표가 달성되길 바란다. 그래서 나의 화요일도 앞으로 계속 소중하고 특별해질 수 있기를 기대한다.

집밥 전성시대

"배추와 무가 싸던데 우리 김장할까요?"라는 지인의 메시지가 왔다. 김장이라는 말에 맛있는 김치를 오랫동안 먹을 수 있으니 반갑기는 했지만 주도적으로 해본 적이 없어 좀 망설였다. 그래도 배추 맛 김치나 열무김치는 제법 맛을 낼 줄 아니까 둘이 협력하면 가능할 듯싶어 "좋아요." 답장을 보냈다. 오전에는 구매제한이 있었다는 싱싱한 배추를 오후에는 원하는 대로 살 수 있어 16포기, 두 박스를 샀다. 무와 기타 부 재료를 사고 칼, 도마 등 집기들을 챙겨 친구네로 갔다.

올해는 유난히 가뭄과 산불이 심해 배추 값이 비쌌다. 한 포기에 무려 13불씩이니 김치를 담그는 것보다 사 먹는 편이 나았었다. 문제는 수입해서 오는 동안 너무 익고 물러져 대부분 찌개나 국으로 소비해야 했다. 그러다 최근 가을배추가 출하되어 가격이 2~3불로 떨어지니 주부들 사이에 김장 열풍이 분 것 같다. 특히 생김치를 좋아하는 나에겐 희소식이었지만 많은 양의 김치를 할 만한 마땅한 공간이 없어 생각지도 못했는데 그녀가 판을 벌여준 것이다.

1박 2일로 남편들까지 합세하여 김장하며 당분간 국만 있으면 밥 먹는데 지장 없겠다며 풍성한 자화자찬이 오갔다. 널찍한 배추 잎에 돼지고기 한 점 싸서 막걸리 한 잔 마시니 알코올이 온몸을 나른하고 기분 좋게 만들었다. 문득, 날짜를 헤아리니 금요일이다. 평소 같으면 주 후반인 목, 금은 두 집 모두 생업으로 바쁠 시간인데 코로나 사태로 이런 여유를 누리고 있으니, 모든 것에는 일장일단(一長一短)이 있음을 새삼 깨달았다.

중국발 COVID-19가 고국을 긴장시킬 때 호주는 마침 여름이었고 청정 지역이라서 크게 걱정하지 않았다. 그러나 강 건너 불구경하듯 방심하는 사이, 시드니에서 확진자가 생기고 멜번과 브리즈번으로 확산되자 정부는 기습적으로 통행을 제한했다. 썰렁한 거리와 사재기는 불안과 긴장을 증폭시켰고 외출이 자유롭지 못하니 경기는 침체되었다. 국경은 물론 국내의 주(州)경계까지 폐쇄되었으니 여행사는 이름뿐이고, 사람들의 왕래가 없으니 식당은 문을 닫거나 최소한의 인력만으로 버티고 있는 것 같다. 다행히 정부는 빠르고 실속 있는 부양책으로 민생안전에 힘썼고 국민들 역시 성숙한 시민의식으로 대처하니,

온전치는 않지만 서서히 평온을 찾고 있는 것 같다.

교민사회는 한인회나 종교단체가 중심이 되어 임시 비자 소지자들과 실직가정 그리고 노인분들께 생필품을 전달한다는 따뜻한 기사를 읽었다. 일터의 고객들 역시 격려하고 응원하며 친구들 간의 잦은 안부메시지와 교류는, 금세기 초유(初有)의 전염병 사태에서 인류를 심적으로 더 가깝게 이어주는 것 같다.

함께할 시간이 많아진 가족들은 분업하고 협력하며 작은 것에 만족하는 법을 배우고 있다. 남의 손을 빌려 해결했던 것들을 스스로 해보며 정원과 텃밭을 통해 생명의 소중함을 깨닫고, 별식도 함께 만들며 추억을 쌓고 있다.

고구마가 풍년이라서 만들었다는 고구마 생채와 조청 그리고 입을 야무지게 다문 만두까지 카톡방은 매일매일 홈 메이드 먹거리로 넘친다. 바야흐로 집밥 전성시대다. 결과물들을 카톡에 올리며 재능 발견이라고 너스레를 떠는 지인, 은퇴 후의 삶을 미리 경험해 보는 값진 시간이라는 설(說)까지 비록 몸은 적잖은 구속을 받지만, 마음은 더 없이 평화롭고 자유로워 보인다.

'광에서 인심 난다.'고 했는데 곳간 사정은 예전만 못하지만 기왕 하는 음식 넉넉하게 만들어 주변과 나누는 따스한 정이 줄 잇고 있다. 재난상황에서도 꾸준히 일하는 우리는 지인들의 부러움과 응원 그리고 맛난 음식까지 선물 받는 특혜를 누리고 있다. 두툼한 빈대떡이며 고구마 케이크가 냉동실을 채우고 번

잡함을 뻔히 알면서 김장을 제안하는 친구까지 있으니, 전염병 사태 아니면 미처 깨닫지 못할 값진 순간을 살고 있다.

감사함이 온돌처럼 번지는데 또 카톡이 온다. '내일은 주말, 김치가 맛있어서 점심에 콩나물 밥 해요. 시간 내서 꼭 오세요.' 매번 빈손으로 가지 말고 오늘 버무린 겉절이 한 사발과 화단에 흐드러진 국화로 자그마한 부케 하나 만들어 가야겠다.

시어머님 별이 되다

시어머님이 돌아가셨다는 문자를 받았다. 거의 40년 세월을 큰아드님과 함께 지냈는데 며느리 건강이 좋지 않아 3년 전 막내따님 집으로 옮겼었다. 그동안 외손녀들의 효도까지 받으며 비교적 건강하게 지내셨는데, 대퇴부 골절로 요양병원으로 모셔졌고 입원 3일 만에 운명하셨다. 코로나 사태로 면회가 제한되어 자식들 중 누구도 임종을 보지 못했고 막내아들인 우리는 장례식도 참석할 수 없으니 아쉬움과 애석함이 더했다. 그래도 다행인 것은 코로나사태 직전 한국을 방문해서 건강한 어머님을 뵈었기에 그나마 위로가 되었다.

장례식에 갈 수 없어 어머님의 사진을 놓고 흰 장미와 촛불로 조촐하게 빈소를 꾸몄다. 소식을 들은 친구들이 일을 마치고 조문 왔는데 그중 한 친구는 음식까지 준비해서 한국의 상

갓집을 연상케 했다. 98세까지 자식과 함께 살다 단 며칠 앓다 돌아가셨으니, 이만하면 돌아가신 분도 살아있는 자손들도 큰 복이라고 입을 모아 위로했다. 부모가 병상에 계실 때 제때 뵙지 못하고 장례식 참석도 어려운 이민자들이어서 더 슬프고 안타까운 자리였다. 친구들의 부조로 훨씬 풍성해진 빈소의 어머님 사진을 물끄러미 바라보며 외유내강 했던 그녀의 삶을 회상한다.

덕수(德水) 이 씨(氏)인 시어머님은 1남 1녀의 막내딸로 경기도 조암에서 출생하셨다. 고등학교를 졸업하고 시청에서 근무하다 당시로서는 드물게 연애결혼을 하셨다. 3남 2녀를 출산하시고 가정 내 큰 어려움 없이 자식교육에 전념했던 전형적인 현모양처였는데, 토목기사였던 시아버지께서 일찍 직장을 그만두는 바람에 경제적으로 큰 어려움을 겪었다고 한다. 어려운 살림이었지만 자식들의 교육만큼은 포기할 수 없어 보따리 장사와 친척들의 도움으로 5남매를 훌륭히 키우셨다.

'은행원 철 밥통'이란 말이 공공연하던 때에 두 아들과 막내사위는 은행원으로 막내아들은 삼성에서 큰사위는 공기업에서 일했다. 이만하면 자식자랑도 할 만했건만 워낙 언행을 조심했던 분이라 묵묵히 자식들의 안녕만을 기도했던 분이었다. 경제적 자립 없이 50대에 큰며느리를 맞이하여 작은 아파트에서 함께 생활했으니 고부간 갈등이 있을 법도 한데, 절대 입에 올리지 않고 60세에 입문한 서예공부에 열중하셨다.

걸걸한 친정엄마와는 전혀 다른 성격으로 조용히 붓글씨에 전념하시는 모습이 조선시대 여인처럼 고결하고 아름다워 몇 마디 궁금한 것을 여쭸더니 "운동 되고 성취감도 있으며 마음공부에 붓글씨만한 것이 없어. 영기엄마도 더 늦기 전에 하고 싶은 일이 있으면 도전해 봐." 하셨다. 당시 난 연년생 두 아들 키우기에 바빴는데 60세에 뭔가를 시작한 그녀의 용기에 힘입어 늦깎이 공부에 도전했었다. 그 사실을 알게 된 어머님은 "잘했다. 이왕 시작했으니 열심히 해라."며 격려했다. 보통 시어머님들 같으면 "그 나이에 무슨 공부냐, 남편 뒷바라지 잘하고 애들이나 잘 키워라."고 핀잔할 텐데 그녀는 딸, 며느리 차별치 않고 성심껏 응원하며 손아래 사람을 대할 때도 언제나 예의를 갖췄다.

70대까지는 비교적 평온했는데 IMF를 겪으며 은행들이 통폐합되자, 두 아들과 막내사위가 연달아 직장을 잃게 되어 또 한 번의 위기를 맞았다. 이미 연세도 많고 특히 허리가 굽어 막일도 할 수 없는, 당신 표현에 의하면 '식충(食蟲)이'로 전락한 자신을 한없이 부끄러워하셨다. 입 하나 덜겠다며 경기도 용인의 시외삼촌 오두막을 빌어 홀로 기거하며 서예로 시름을 달랬었다.

자식들에게 의지하며 장수하는 것을 민폐로 여겼던 그녀는 팔순(八旬)때 서예전시회를 갖는 단 하나의 소망이 있었다. 그러나 50대에 직장을 잃은 자식들에게 그녀의 꿈은 사치라 여겨져 무산되었고 설상가상, 마지막 자존심이었던 막내아들마저 노모보다는 가족의 미래를 위해 이민을 택했다. 당시 그녀가 느꼈을 좌절감을 생각하면 지금도 가슴이 아리다.

우리가 해외로 떠나자 어머님은 때 아닌 영어공부에 열중했는데 아마도 호주 방문을 꿈 꾸셨던 것 같다. '세월은 사람을 기다리지 않는다.'고 어머님 건강하실 때는 우리 삶이 신산했고 막상 모시려고 비행기 표를 예약했을 때는 "이 연세에 장거리 여행은 심장에 무리가 와 큰일 납니다."는 의사의 조언 때문에 호주방문 역시 포기해야만 했다.

오늘, 평생 살아오신 모습처럼 조용하게 우리 곁을 떠나셨다. 꽃들로 둘러싸인 95세 때의 어머님 모습은 수줍은 소녀 같다.

"어머님, 그동안 수고 많으셨어요. 어머님의 서예전시회와 호주 여행은 무리해서라도 생전에 꼭 챙겼어야 했는데 저희가 미욱해서 우리 살 궁리만 했네요. 이제 이렇게 떠나시니 후회만 남는데 널리 이해하시고 좋은 곳에 가셔서 편히 쉬세요."라고 읊조리며 사진을 어루만지는데 주르륵 눈물이 앞을 가렸다.

장다리꽃과 할머니

무꽃이 하얗게 피어 벌들을 유혹하고 있다. '장다리꽃'이라고도 불리는 이 꽃의 아래 부분은 벌써 적잖은 꼬투리들이 생겼는데 큰 키에 곁가지가 많아 버팀목을 세워주었다. 꿀 찾아 온 벌들은 꽃 속에 머리를 묻고 어린아이 그네 타듯 흔들림을 즐기고 있다. 혹한 겨울이 없는 이곳은 씨만 잘 뿌리면 사계절 내내 열무김치는 물론 시래기까지 자급자족할 수 있다. 그 재미로 씨앗 값이 좀 비싸도 아까운 줄 모르고 파종했는데 발아되지 않는 경우도 종종 생겨, 작년부터는 종자용으로 서너 포기씩 남겼다가 씨를 수확하고 있다. 특히 올해는 씨앗에 관심 있는 친구들이 많아서 한층 정성을 들이는 참이다.

투명한 가을날, 물끄러미 바람과 벌과 장다리꽃의 대화를 상상하다 벌 몰래 살짝 그 냄새를 훔친다. '도대체 어떤 향기가 벌들로 하여금 화려한 주변 꽃들을 마다하게 만드는 걸까?' 가만히 코를 대는 순간 희미한 향기는, 시골마을 초등학교 시절을 소환했다.

주변 동네 사람들에게 '무너미'라는 별칭으로 불린 내 고향은 '물이 넘친다'는 지명(地名)처럼 걷잡을 수 없이 물 많은 동네였다. 동네를 감싸고 흐르는 폭 4m가량의 도랑과 외곽에는 현충사 앞을 흐르는 큰 곡교천이 있어, 여름이면 가끔 범람하여 어

른들의 삶을 신산하게 했다.

그 곡교천 둔치 임자 없는 모래땅에 조각보 같은 밭들이 이어졌는데 거기에 할머니 밭도 있었다. 농사의 중심에서 밀려난 할머니는 이 불모지를 일구어 밀과 보리 같은 곡식과 여름 감자나 열무 같은 채소를 심어 살림에 보탰다. 한바탕 물난리를 치른 8월이면 김장용 채소를 심었는데 파종시기가 늦어 수확은 보잘것없었지만 귀한 대접 받으며 항아리를 채웠었다.

초등학교 5학년 때까지 할머니 집에 살았던 나보다 한 살 많은 사촌언니는, 같은 마을의 여자 형제가 많은 우리 집에 자주 왔었다. 나물 뜯고 곡교천의 고운 모래를 훑으며 조개를 잡았는데 문득, 출출해지면 할머니 밭의 채 여물지 않은 감자를 캐거나 막 누릇해지기 시작한 밀을 훑어 껌처럼 씹었다. 그때, 우리를 우두커니 지켜보던 키다리 연분홍 꽃이 있었으니 바로 장다리꽃이었다.

너무 어려 먹을 수 없는 감자와 씹느라 허기만 더했던 밀에 실망한 우리는 종자용으로 애지중지 위하는 할머니의 장다리를 꺾었다. 열무의 모든 기운이 응축되어 막 자라기 시작한 줄기는 물기도 적당하고 약간의 맛도 있어 아삭아삭 먹을만 했는데 할머니께서 그걸 모를 리 없었다.

어스름 해가 저물면 사촌언니는 할머니를 피해 우리 집으로 피신 왔는데 그 사실을 알게 된 엄마는 더 심하게 꾸중했고 우리는 집에서 쫓겨나 동네를 배회했었다. 자식들의 배곯는 사정은 외면하고 그깟 밭작물 몇 개 때문에 윽박지르고 혼내기만 하는 어른들을 원망하며 밤이 깊어지기만을 기다렸었다. 마침내, 집안의 불이 꺼지면 밤 고양이처럼 들어가 대청마루 구석에 차려진 저녁상을 받고 포만감에 배 두드리며 잠자리에 들었었다.

이후 삽교천 방조제가 건설되어 곡교천은 더 이상 범람하지 않았고 할머니가 개간할 수 있는 안전한 둔치는 강을 따라 끝없이 펼쳐졌다. 그러나 할머니는 이 세상 사람이 아니었고 개간은 고사하고 텃밭도 어려운 노인들이 적막한 동네를 지켰다. 그리고 어느 해부터인가? 그 버려진 너른 둔치에 야생 갓이 자라기 시작했다. 봄이면 초록으로 혹은 자줏빛으로 싹을 틔우고 샛노란 꽃을 무더기로 피워 철새와 읍내 사람들을 불러들였다.

지금 내 고향은 '무너미'라는 친근한 이름 대신 수장동(水長洞)으로 바뀌었고, 할머니의 애환담긴 밭 자리는 자전거 도로로 변하여 시민들의 휴식처가 되었다고 한다. 할머니가 그 모습을 보신다면 "질(길)이 넓어져서 읍내 다니기는 편컸다.(편하겠다) 근디(그런데) 땅은 곡석(곡식) 키울 때가 더 좋을 겨. 시끄럽고 노상(매일) 불을 켜 대니 잠인들 지대로(제대로) 잘 수 있것남?(있겠는가?)"

뼛속까지 촌사람인 난 뜻밖에 호주에서 할머니처럼 열무를 심고 씨앗을 수확하고 있다. 배고픔 때문에 무의 종(鍾)번식 욕구를 댕강 잘랐던 무지(無知)를 속죄하듯 온 정성을 다 하고 있다. 씨앗은 잘 갈무리해서 친구들과 나누고 부지런히 가꿀 예정이니 이만하면 무도 지난날의 만행(?)을 용서할 것 같다. 애처로울 만큼 가는 줄기에 욕심껏 씨앗품은 모습이 생전의 할머니 같아 두서없이 적어본다.

4.

꽃바람 꿈동산

우리의 신포도

10여 년 넘게 편의점을 운영하던 지인이 과감하게 사업을 정리했다. 더 나이 들기 전에 꼭 도전하고 싶은 일이 있어 용기를 냈다고 한다. 큰 그림에 앞서 한 달 정도 국내 여행을 계획했는데 떠나기 전, 우리 집 창고 짓는 일을 돕겠다고 했다. 살다보면 뭔가를 자꾸 사고 때론 얻어와 정리할 공간이 필요한데, 아래층 자투리 공간의 3면을 막고 문을 달면 그럭저럭 쓸 만한 창고가 될 것 같았다. 그런데 소통문제로 자재구매가 어려워 차일피일 미루고 있던 참이었다.

그런 딱한 사정을 알고 이들 부부가 발 벗고 나서 일주일 만에 문까지 달린 근사한 창고를 만들고 계획대로 그들은 여행을 떠났다. 나머지 바닥공사는 우리 몫인데 친구는 쉽고 간단하게 자갈을 깔아 마무리 하라고 했다. 그러나 남편은 친구 부부가 정성을 다해 꼼꼼하게 잘 만들었으니 자갈보다는 보도블록으로 깔끔하게 마무리 하겠다고 했다. 그렇게 말하면서 모처럼 본인 취향에 맞는 신나는 일거리로 들떠있었다.

호주 살이 11년 동안 본인의지와는 전혀 다른 일로 밥을 벌던 남편은, 시간이 지날수록 기술을 요하는 핸디 맨(Handyman)에 관심이 많아 제대로 배우고 싶어 했다. 그러나 언어장벽과 그 기술로 가계유지가 될 때까지는 시간이 많이 걸려 당장 실천은 어렵고 유튜브를 보며 소소한 집안일들을 시험 삼아 하곤 했었다. 그런 그에게 '창고 바닥 마무리 공사'는 실수해도 크게 문제될 것 없는 매력적인 기회여서, 반드시 자신의 생각대로 하겠다고 고집을 부렸다.

'백짓장도 맞들면 낫다'고 그의 의욕에 뭔가 보탬이 될까 싶어 자재가게를 검색하고 예상 질문을 준비한 후 가게에 갔다. 랜드스케이프(Landscape)는 조경공사에 필요한 용품일체를 판매하는 곳으로 모래부터 벽돌까지 규모가 어마어마했다. 옥외에 진열된 물건들을 살펴보며 원하는 규격의 물건을 찾아 사진 찍고 자신있게 가게 문을 열었다. 대부분의 직원들은 사진만 봐도 고객이 원하는 것을 대충 알기 때문에 사진 준비는 필수였다.

젊은 직원에게 사진을 보여주며 사이즈와 수량을 말하고 추가로 모래 5부대를 주문했다. "Okay, Thank you."라며 반갑게 대답할 줄 알았는데, 매장에 준비된 보도블록 작업과정을 가리키며 모래비율을 묻는 듯했다.

"무슨 소리하는 거야? 그게 무슨 상관이지?"

예상 밖 질문에 몹시 당황해 다시 사진을 보여주며 우리의 용건만 앵무새처럼 지껄였다. 그럴수록 직원은 더 장황하게 설명했는데 이쯤 되니 머릿속이 복잡해져 기본적인 단어도 생각나지 않았고, 빨리 이 상황을 벗어나야겠다는 생각만 들었다.

굳은 표정의 직원은 어깨를 으쓱하며 "난 더 이상 너를 도울 수가 없다."고 선언했다. 우리는 기다렸다는 듯 "미안해, 다음에 다시 올게."라며 서둘러 가게를 나왔다.

집으로 돌아오는 길, 이민 11년차의 어른 둘이 말을 제대로 못해 돈을 가지고도 물건을 못 샀으니 그 참담한 기분은 이루 말할 수가 없었다. '대책 없는 아시안' 하며 조롱하는 듯한 그의 몸짓과 표정이 머릿속에 맴돌아 자존심 상하고 화가 나서 견딜 수가 없었다. 능력도 안 되면서 그런 상황을 만든 남편이 원망스러워 한숨이 저절로 나왔는데 말없이 담배를 태우며 운전하던 남편이 한마디 했다.

"보통 사장들은 손님 눈높이에 맞춰 기분 좋게 물건을 파는데, 그 자식은 일개 직원으로 인종차별주의자인 것 같아. 영어가 약하다는 것을 뻔히 알면서 일부러 장황하게 설명해서 손님을 골탕 먹이는 못된 놈이지. 그러니까 젊은 놈이 번듯한 직장 없이 그런 가게에서 일하고 있는 거야. 너무 예민하게 받아들이지 마. 지금까지 영어 못해서 밥 굶진 않았잖아?"라며 육두문자에 인종차별까지 들먹이며 위로하려 했다. 순간, 이솝우화한 토막이 생각났다. 배고픈 여우가 포도를 먹으려고 노력했으나 너무 높아 먹지 못하자 '어차피 저 포도는 실거야.'라며 멀쩡한 포도 탓만 했다는 이야기다.

이민을 결정했으면 그 나라의 언어공부는 필수다. 뭔가 부족해서 원하던 바를 이루지 못했다면 반성하며 각오를 다져야하는데 난 다 잘했는데 직원의 태도가 문제라며 그를 탓한다. 남편도 나만큼 속상해서 그렇게 둘러댄 건데 그 핑계가 더 화가나 "공부 좀 하자."라며 말문을 닫아버렸다.

다음날, 전날의 감정이 남아 난 여전히 화나고 속상한데 남편은 아무렇지도 않은 듯 말없이 자동차에 트레일러를 연결하고 나갔다. 그리고 한 시간 후, 트레일러에 보도블록과 모래를 가득 싣고 개선장군처럼 나타났다. 반가운 마음은 애써 감추며 퉁명스럽게 "어떻게 샀어?" 물었더니 "응, 오늘은 사장이 있었어. 사진을 보여주며 사이즈를 말했더니 작은 창고 공사는 중고도 괜찮다며 야적장에서 픽업하라고 친절하게 설명했어. 밤새 영어공부 좀 했더니 효과가 있네." 내 표정을 힐끔 살피고는 창고에 물건을 옮겼다. 함께 주변을 정리하고 물 한 모금 마시면서 '맞아. 남편말대로 우린 어제 운이 나빠 인종차별 당한거야.' 우리의 영어실력이 나아지기는 어려울 것 같다.

아버지 두 번째 제삿날

아버지가 떠나신 지 두 해가 되었다. 비록 육신은 우리 곁을 떠났지만 남아있는 가족들은 함께했던 장소, 물건, 음식 등 모든 것에서 아버지를 추억하며 울고 웃는다. 때론 우리 모두가 그렇게 아버지를 사랑했었나? 놀랍기까지 하다. 술을 너무 좋아해 크고 작은 분란이 끊이지 않았고 경제적으로 힘들었으며, 심지어 장애까지 있어 가끔은 부끄러운 아버지였었다. 그런데 죽음으로서 그의 모든 행동들이 이해되고 해를 더할수록 애틋함으로 가족들을 결속시키니, 이만하면 가장노릇 제대로 하고 계신 듯하다. 특히 가장 큰 피해자(?)라고 호소했던 엄마는 생전에는 크게 신경 쓰지 않았던 그의 생신과 제삿날을 한 달 전부터 자식들에게 알리며 야단 떨고 있다.

서너 가지 전(煎)에 떡 맞추고 과일과 포 그리고 술 한 병

올리는 것이 큰일은 아닌데 보조기를 의지한 채 걷는 형편이니 본인은 어렵고, 행여 자식들마저 소홀히 할까봐 말끝마다 제사 타령이었다. 교육적 측면도 있지만 '돌아간 사람에게 못다 한 정성 남아 있는 나에게 후회 없이 하라.'는 엄마의 속셈을 눈치 챈 두 여동생은 키득거리며 제사 준비를 했다.

당일 오전에는 두 동생이 엄마네 집에서 골고루 음식을 준비하여 목사님과 주변 어른들을 모시고 추모의 시간을 가졌다. 오후에는 코로나 방역을 위해 마스크 쓰고 추모당에 갔다. 만약 아버지가 마스크 쓴 가족의 모습을 볼 수 있다면 걱정 하겠다 생각하며 카톡으로 현장 모습을 보고 있는데, 갑자기 또 다른 음식상이 올라왔다.

사과, 배 같은 한국 과일대신 바나나, 오렌지 등 열대과일이 푸짐하고 연어구이가 접시를 채웠으며, 평소에 아버지가 좋아했던 닭볶음탕과 삶은 옥수수 그리고 소주가 있다. 상 중앙에 사진이 있고 양쪽에 촛불을 켰으니 틀림없는 제사상이다. 시드니에 있는 아버지의 유일한 아들, 우리의 막냇동생이 직접 차린 것이다. 아버지 보시기에도 기특한지 빙긋이 웃고 계시는데 가족들은 시드니 제사상을 보며 "와! 우리 아버지 바쁘시네. 오전에는 한국에서 식사하고 어느새 시드니까지 가셨네."라며 깔깔거리고 엄마는 "고맙다."로 화답했다.

막냇동생이 차린 제사상을 보니 명색이 맏딸인데 멀리 떨어져있다는 핑계로 돈 몇 푼으로 때운 내 자신이 부끄러웠다. 살아생전 그는 맏딸과 사위를 유난히 자랑스럽게 생각하며 알뜰하게 사랑을 베푸셨는데, 병상에 계실 때나 돌아가셨을 때도 손님처럼 있다가 훌쩍 돌아왔던 것이 못내 아쉽던 참이었다.

늦기 전에 흰 장미와 흰 카네이션을 한 다발씩 사서 아버지 사진 앞에 정갈하게 놓았다. 꽃을 좋아했던 그는 여름날 소꼴을 가득지고 올 때도 길옆에 개망초가 있으면 한 움큼 베어 왔던 멋쟁이였다. 가족을 사랑했지만 제대로 표현 못하는 무능한 자신이 싫어 술에 의지했고 그래서 실수도 많았지만 우리는 그 속에서 사람의 도리를 배웠다.

흰 꽃이 조촐한 제사상을 단체 카톡방에 올렸다. 오전에는 한국, 오후에는 시드니 그리고 저녁 무렵 브리즈번까지, 신(神)이 된 아버지는 코로나 시국에도 아무런 제약 없이 자유롭게 다니시며 조촐한 정성이나마 기쁘고 자랑스럽게 받으셨을 것 같다. 이렇게 사는 지금 우리의 모습, 생전의 아버지 모습이다. 부모는 자식의 거울이다.

공항에서

둘째 아들이 연말 휴가로 태국 여행을 제안했다. 직장생활 3년차, 조금 여유가 생기니 더 늦기 전에 효도하고 싶다는 고마운 말을 덧붙였다. 큰아들과는 그가 고등학교 1학년 때 둘이서만 여행한 적이 있어 둘째와도 한번 가고 싶었는데 마침 좋은 기회다 싶어 흔쾌히 동의했다. 남편에게 자랑하니 눈치 없다고 핀잔하며 둘째의 여자친구에게도 의향을 물어보라고 했다.

듣고 보니 맞는 말 같아 넌지시 여자친구의 연말 계획을 물으니 둘째는 기다렸다는 듯 함께 가자고 했다. 우리 둘은 모자(母子)관계니 편하지만 그녀는 불편할 수 있을 것 같아 조심스럽게 제안했더니 기쁜 마음으로 합류하겠다고 했다. 이야기 나온 김에 한국에 있는 나의 둘째 동생, 말하자면 그의 이모의 동행까지 제안했다. 사려 깊은 아들 커플은 4명이면 교통비도 덜 아깝고 무엇보다 둘씩 짝을 지어 다닐 수 있으니 더 재미있을 거라며 반색했다.

의기투합, 일은 일사천리로 진행되어 12월 8일 공항에 도착했는데 난 공항이 편치 않다. 언어도 그렇고 절차도 까다로워 설렘보다는 긴장이 앞서는데 항상 누군가에 의지한 탓일 것이다. 약간 불안해하는 나와는 달리 아들은 분위기를 즐기고 있다. 다만 자신이 애용하는 헤어스타일 젤(Gel)을 허용량 때문에 포기한 것이 좀 아깝다고 했다.

모든 절차를 마치고 홀가분하게 게이트에 도착한 아들 커플은 음식을 사왔다. 당장 요기 거리인 줄 알았더니 9시간 비행동안 먹을 음식이라고 했다. 저가 항공이라 음식이 제공되지 않으니 미리 구입한 준비성과 알뜰함이 대견했다. 배 속에 저축하라고 농담하며 음식을 권했는데 도착지에 착륙할 때까지는 몸이 편치 않을 것 같아 물만 마셨다. 바쁘게 왕래하는 사람들을 물끄러미 쳐다보며 문득, 꽤 오래전 친정 부모님의 첫 해외여행이 생각났다.

평생 태어난 동네와 근교 도시만을 맴돌던 우리 부모님이 당시 호주에 살던 막냇동생의 초청을 받았다. 고맙게도 사촌여동생이 안내자를 자청하여 두 분은 그녀를 따라 비행기에 올랐다. 친정엄마는 감정에 충실한 편이라 하나 밖에 없는 아들을 만날 생각에 눈물 반 기쁨 반 비행 내내 즐거웠다. 그러나 아버지에게 그 여행은 큰 도전이어서 호주에 도착하자마자 사달이 났다.

갑자기 공간 지각력에 문제가 생겨 당신이 오랜 비행 끝에 외국에 왔다는 사실을 알지 못하고 앉기도 전에 귀가를 서둘렀다. 딸들 집에서도 하룻밤 보내기가 힘들어 농사와 가축먹이를 핑계 삼아 다음날 아침 바람처럼 집에 가시는 아버지였다. 그만큼 새로운 환경에 적응하는 것이 어려운 분을 자세한 설명과 본인의 동의 없이 '효도'라는 이름으로 부추겨 그 먼 곳을 보냈으니, 조금은 예고했던 우려가 현실이 되었다.

불안해하는 아버지를 안심시키려 동생은 백방으로 노력했으나 그럴수록 그는 더 고집을 부려, 마침내 두 사람은 농사와 가축이 기다리는 고향집을 찾아 나섰다. 가혹하기는 했지만 그렇게 하면 아버지가 상황을 이해하고 포기할 줄 알았다. 두리번거리며 서너 시간 정도 주변을 돌던 그들은 뒤꿈치가 까지고 물집이 잡혀 더 이상 걸을 수 없게 되자, 택시를 타고 집으로 돌아갔다.

그런 상황이 안타까워 "집에 가요."라고 엄마가 말을 걸면 금방 생기가 돌아 환한 표정으로 따라나선다는 현지 상황 설명은 한국가족들을 슬프게 했었다. 결국 부모님은 일정을 못 채우고 열흘 만에 한국으로 돌아왔다. 이때부터 아버지는 현실과 꿈을 구분 못하고 엉뚱한 말을 자주 했다고 엄마는 울먹이며 당시를 회상하곤 했다.

우리 몸은 고통을 이겨낼 내면의 능력이 있어 정신과 육체에 이상이 생기면 관심을 끌기 위해 적극적으로 드러낸다고[1] 한다. 아버지 몸 역시 그 불편함을 적극적으로 하소연했지만 곁 똑똑이 우리들은 그것을 일시적 현상으로 편하게 해석하며 방치했다. 결국 그는 70대 후반, 한참 편안하고 여유 있게 삶을 즐길 연세에 치매 판정을 받고 요양원에서 의미 없이 웃기만하다가 세상을 떠나셨다.

난 주변사람들로부터 외모는 물론 성격까지 아버지를 닮았다는 소리를 많이 들으며 자랐다. 다른 점이 있다면 난 장애가 없고 상황에 필요한 대처 능력이 아버지보다는 낫다. 그래도 새로운 것에 대해선 종종 불편과 두려움을 느끼는데 그런 능력이 부족한 그가 겪었을 혼란과 불안, 그것이 급기야 병으로 이어졌다고 생각하면 지금도 눈시울이 뜨거워진다.

대견하고 사랑스러운 아들 커플과의 행복한 여행길에 주책없이 우울한 감정에 빠진 나는 애써 감정을 추스르며 비행기에 올랐다. 좌석을 찾고 안전벨트를 매며 불안감을 느꼈을 아버지에게 마치 옆에 계신 것처럼 말을 건넸다.

---

1) 크리스티안 노스럽(Christiane Northrup, M.D) 『여성의 몸, 여성의 지혜』 한문화 2000.

"아버지, 지금부터 9시간 후면 우린 태국이란 나라에 도착해요. 그곳은 더운 나라지만 12월은 건기라서 여행하기 좋은 날씨래요. 불교국가라서 사원도 많고 아직도 왕이 있어서 왕궁도 있대요. 물가도 싸고 마사지가 유명한 나라라니 부처님께 복도 빌고 맛있는 것도 먹고 시원하게 마사지도 받아요. 아버지, 평생 일하시느라 뼈마디 많이 아프지요? 마사지 받으면 시원할 거예요. 이렇게 딸과 손자에게 효도 받으니 기분이 어떠세요? 앞으로도 좋은 곳 많이 모셔갈 테니 아버지 건강하게 오래사세요."라며 둘만의 독특한 대화법으로 이야기하고 엄지손가락을 척 올려본다. 아버지는 희미한 미소로 응답했고 언제나처럼 양손으로 정성껏 머리를 뒤로 넘긴다. 컨디션이 좋다는 표현이다.

드디어 갖가지 사연을 실은 비행기는 굉음과 함께 브리즈번을 출발했다.

게임(Game)이 있는 날의 풍경

주말저녁 약속 때문에 서둘러 집을 나섰다. 시내로 진입하는 골목이 때 아닌 인파와 자동차로 복잡하다. 웬일일까? 주변을 살펴보니 '파킹(Parking) $20 or $25'이라는 손 글씨 팻말이 개인집 마당에 세워져 있다. '아차, 게임이 있구나.' 좀 더 일찍 출발하지 못한 것을 후회하며 주인인 듯한 남성분들이 자기 집 마당으로 차량들을 유도하는 것을 보았다.

보통 게임이 있는 날은 특별편의 대중교통이 운행된다. 그런데 부득이 자가용을 이용하는 사람들 중, 복잡한 공용 주차장보다 근처 상가나 골목의 자투리 공간을 선호하는 사람들이 있다. 이 사실을 알게 된 경기장 근처 주민들은 약간의 주차비를 받고 마당을 개방하는데, 게임이 있는 날 흔히 볼 수 있는 광경이다. 때론 팻말을 보고 경기장의 행사를 알아차릴 때도 있다.

오늘 게임 장소인 가바(Gabba)경기장은 지역 이름인 울릉가바(Woolloongabba)에서 유래한 것으로, 밀톤(Milton)에 위치한 선콥 스타디움(Suncorp Stadium)과 함께 브리즈번의 명소다. 이곳은 1895년에 완공하여 1931년까지는 각종 규모의 크리켓(Cricket) 경기만을 개최했다고 한다. 현재는 호주 럭비리그(Rugby league)의 주경기장으로 관람석 42,000석과 카페, 바(Bar), 이벤트 룸까지 완비하여 경기가 없을 때는 각종 이벤트 장소로 활용한다고 한다.

가다 서다를 반복하며 어렵사리 골목을 빠져나오니 차량과 몰려드는 인파를 정리하느라 경찰들이 바빴다. 입장객들은 삼삼오오 무리지어 응원팀의 유니폼을 착용하고 개성이 돋보이는 응원용품들을 들고 활기차게 경기장을 향했다. 대형버스의 문이 열리자 가족 단위의 관람객들이 하차하는데 일부 어린이들은 얼굴에 알록달록 페인팅을 했고, 응원팀의 로고가 새겨진 머플러로 한껏 멋을 부린 사람도 많았다.

근처 상가에 설치된 대형 스크린 앞에는 일찌감치 자리 잡고 맥주잔을 기울이는 사람들로 가득했다. 공부만큼이나 스포츠를 중요시 여기는 이 나라 사람들의 평소 분위기를 감안할 때 이 정도 참여와 관심은 당연하다. 분위기에 편승해서 우리도 수원 종합 운동장의 야구경기나 어릴 적 TV를 통해 본 프로 레슬링 이야기를 했다.

스포츠란 일정한 규칙이 있는 신체활동으로 학교에서의 체육활동이나 명절 때 선보이는 민속놀이 같은 것이라고 단순하게 생각했던 적이 있었다. 그러다 프로 레슬링을 통해 스포츠란 냉엄한 승부세계며 용기와 극기 등 고차원적 정신이 수반되는 누군가의 직업이라는 것을 알게 되었다.

프로 레슬링이 유행했던 시절, 김일 선수의 대전(對戰)이 있는 날은 TV가 있는 집으로 마을사람들이 모였었다. 주인은 관람객들을 위해 안방에 모셨던 TV를 대청마루에 설치했는데 그날은 동네 잔칫날마냥 떠들썩했다. 박치기로 유명한 김일 선수가 선전하면 환호했고 그의 주무기인 이마에서 피가 흐르면 자신들의 고통처럼 여기며 상대 선수를 비난했었다. 몇 번의 고비를 넘기고 그의 주특기인 박치기가 되살아나면 우리들은 그의 동작에 구령을 부치며 응원했다. "하나! 둘! 셋!" 농축된 에너지로 간절함을 담아 함께 외치면 악의 화신인 상대 선수는 비틀거리며 쓰러졌는데, 특히 일본 선수인 이노끼와의 대전은 손에 땀을 쥐게 했다.

내 둘째 동생 이름이 '인옥'인데 호칭하면 '이노기'로 이노끼와 비슷하게 들렸다. 짓궂은 남자 아이들은 처절하게 쓰러지는 그 선수의 모습을 흉내내며 동생을 놀렸다. 달리기를 잘하고 용감했던 동생은 분에 못 이겨 끝까지 쫓아가 사과를 받아냈다. 하필 국민영웅의 최대 강적과 이름이 비슷해서 생긴 해프

닝이었다. 이처럼 외국선수 이름이 시골마을 아이들의 입에 오르내릴 만큼 그 당시 프로 레슬링의 열기는 대단했었다.

이 열기는 2002년 월드컵 축구로 이어졌는데 당시 한국팀을 이끌던 히딩크 감독의 리더십과 선수들의 투지는 우리나라 축구 수준을 한 단계 끌어 올렸다. 국민들의 응원 역시 수준급으로 "오! 필승 코리아"를 외치며 자랑스러워했고 자동차 경적도 "대~한 민국"으로 리듬감 있게 울리던 시기였다.

이렇게 스포츠는 국민을 단결시키며 일상에 활력을 주지만 난 스포츠를 그다지 좋아하지 않는다. 양쪽 모두 똑같이 피 나는 노력을 했음에도 불구하고 단 몇 시간 혹은 몇 초 만에 명암이 갈리는 것이 마음이 편치 않기 때문이다.

집으로 돌아오는 길, 도로에 가득했던 인파와 차량은 썰물처럼 빠졌고 격전을 치른 경기장은 뒷정리로 불야성이다. 승리한 팀은 이겨서 기쁘고 패배한 팀은 아쉽지만 다음을 기약하고 관객들은 훌륭한 경기를 맘껏 즐겨서 기뻤을 것이다. 덕분에 주변 상가는 물 만난 배처럼 바빴고 마당을 주차장으로 제공한 집주인들은 뜻밖의 수입에 흐뭇했을 것이다. 내일 아침 일간 신문은 새로운 스타 탄생과 갖가지 미담들로 지면이 부족할 듯싶다.

새

동네 공원이 뒷마당인 우리 집은 온갖 새소리와 함께 아침을 맞는다. 높은 음의 추임새 같은 혹은 아이들의 재잘거림 같은 소리가 단잠 자는 귀를 먼저 깨운다. 눈이 떠지지 않아 5분 만 하는 간절함이 있지만 이부자리를 털고 베란다로 향하며 부지런한 새들과 눈인사 한다.

왕관을 쓴 듯 머리 장식이 화려한 회색 빛 새 두 마리는 '황조가'의 암수 꾀꼬리처럼 사이좋게 종종걸음 치며 먹이를 찾는다. 삼원색(三原色) 깃털을 가진 앵무새 역시 나무 주위를 맴돌며 숨바꼭질이 한창이다. 나무에 지붕에 그리고 마당까지 사람들을 전혀 두려워하지 않고 태연하게 움직이는 새들의 모습은 이 도시의 일상 풍경이다.

호주에는 800여 종(鐘)의 새가 있는데 이중 절반이 토종이라는

글을 보았다. 그래서 그런지 한국에서 많이 봐왔던 까마귀, 까치, 앵무새 등 몇 종류를 제외하곤 거의가 낯설다. 가만히 보고 있으면 이름이 궁금해져 가끔 검색하는데 기억하기는 어렵다. 제대로 이름을 알고 있는 새는 호주의 상징인 이뮤(Emu), 그리고 웃음소리와 비슷한 소리를 내는 쿠카브라(Kookabura) 정도다.

이뮤는 집 근처에서 만날 수 있는 새는 아니다. 외모와 달리기를 잘하는 특성 등이 타조와 닮았는데 앞만 보고 달리는 모습이 도약하는 호주의 이미지와 잘 맞아, 캥거루와 함께 국가 상징 동물이 되었다고 한다. 덕분에 굳이 동물원에 가지 않아도 관공서 안내 책자나 지폐를 통해 쉽게 볼 수 있다. 쿠카브라는 집 근처 높은 나무에서 큰소리로 특이하게 울기 때문에 그 존재를 금방 눈치 챌 수 있다. 그러나 무리 중에서 그 새를 구분하기는 아직도 어렵다. 현란하고 다채로운 날갯짓을 감상하며 고향 산하의 새들을 생각한다.

우리 민족은 예로부터 새들을 신성시 여겼는데 지상과 천상을 오가며 인간과 신을 연결해 준다고 믿었다. 고구려 벽화의 다리 셋 달린 삼족오(三足烏)나 신라 역시 태양신으로 숭배했다는 기록이 있다. 고대국가의 기록뿐만 아니라 지금도 마을 곳곳에 남아있는 솟대나 민속신앙을 통해 짐작할 수 있다.

어릴 적 동네에서는 가끔 죽은 이의 넋을 위로하는 굿판이 벌어졌었다. 망자(亡者)의 혼이 무당에게 빙의하여 뭔가를 호소하면 무섭기도 하고 신기하기도 해서 엄마를 졸라 구경 갔었다. 굿의 핵심은 죽은 자가 무엇으로 몸을 바꾸었는지가 관심사였다. 어른들 말에 의하면 새가 되면 좋고 뱀이 되면 주변을 배회하기 때문에 액운이 많아진다고 했다.

"훨훨 날 수 있는 새가 되었다."는 무당의 말 한마디는 유족들에게 큰 위로가 되었는데, 이처럼 새는 우리 의식 전반에 신성한 존재로 자리매김했음을 알 수 있다.

또한 선(善)을 실천하는 이상적 동물로 생각했다. 「흥부 놀부」의 제비가 그렇고, 「콩쥐팥쥐」의 볍씨 까는 참새가 그렇다. 불우한 처지를 비관하지 않고 한마음으로 노력하는 자에게는 반드시 꿈과 희망을 물어다 준다는 전설의 파랑새 이야기는 또 어떤가?

뿐만 아니라 계절의 길잡이로 인간의 감성을 풍요롭게 했다. 처마 밑 제비가족의 활기찬 지저귐은 봄을 알리고 농부들은 묵었던 농기구를 손보며 풍년을 꿈꿨다. 콩밭 매는 고단한 여름 들판에 꿈같이 퍼지는 '뻐꾹' 소리는 손놀림에 여유를 주었다. 잠 못 이루는 시인 묵객들의 가을 감성 속엔 일사불란하게 창공을 날아가는 기러기가 있으며, 고즈넉한 겨울 강변을 비상(飛上)하는 청둥오리 떼는 희망을 갖게 했다.

최근 이곳 대학 연구팀의 보고서에 의하면 고양이들이 매일 100만 마리의 새들을 잡는다고 한다. 이로 인해 개체수가 줄고 다른 포유류의 먹이사슬에도 영향을 미친다는 우려의 목소리를 읽었다. 고양이와 한 무리의 새들이 소란스럽게 장난치는 것을 종종 목격하면서 민화(民畵)의 한 장면을 연상하곤 했는데, 그 소란스러움이 생존의 몸부림이라는 것을 기사를 통해 알게 되었다.

새들의 산란기에는 조심과 배려를 당부하는 안내문과 등산로의 야생동물 표지판은 사람과 동물이 공생(共生)관계임을 깨닫게 한다. 도로 곳곳에 로드 킬(Rodekill) 방지 표지판은 운전자의 각별한 주의를 요구하며 엄격한 책임을 묻는 동물보호법은 이 나라가 동물의 천국임을 입증하는데, 과연 이 문제를 어떻게 해결할 지 자못 궁금하다. 부디 모든 생물들의 평화롭고 조화로운 환경이 유지되길 기대하며 베란다를 떠난다.

우리 동네 할로윈 축제

우체통에 앙증맞은 메시지가 꽂혀있다. '10월 31(일) 저녁 6시, 이웃들과 할로윈(Halloween)행진을 할 예정입니다. 아이들을 위한 Trick or Treat!*에 참여해 주세요. 관심이 있다면 간단한 스낵류를 준비하시고 우체통 주변을 할로윈 분위기로 장식해 주세요.'라는 글과 함께 행진 루트를 표시한 동네 지도가 있다. 아마 동네 학부모들이 계획한 것 같은데 더불어 삶을 실천하는 모습이 무척 신선하게 느껴졌다. 공동체 행사에 꼭 참여하겠다고 마음먹고 할로윈 축제에 대해 알아보았다.

이 축제는 고대 켈트 족의 전통 행사로, 매년 이날 죽은 자의 영혼들이 괴기한 모습으로 출몰하자 사람들이 자신을 지키기 위해 그들처럼 변장하고 돌아다니던 것에서 기원했다고 한다. 시작은 자신의 생명을 지키기 위한 절실함이었는데 지금은 일상에 활력을 주는 볼거리와 놀이중심의 축제가 된 것 같다. 검색을 통해 각 나라의 할로윈 축제 모습과 고국의 유치원 축제까지 다양한 정보를 접한 후, 안내문에 따라 우체통을 장식할 소품과 과자를 구입하러 마트에 갔다.

마트는 피 묻은 십자가에 무덤에서 막 나온 듯한 흉측한 팔뚝과 한 무리의 박쥐 떼 거기에 음산한 음악까지 완벽한 할로윈 분위기로 손님들을 맞이했다. 장난꾸러기 표정 같은 호박등(燈)부터 인체의 뼈를 프린트한 옷, 영화관을 누볐던 다양한 캐릭터의 복장까지 재미있고 저렴한 물건들이 많았다. 동심으로 돌아가 낄낄거리며 한 바퀴 둘러본 후 아이들에게 줄 스낵이 담긴 작은 호박 바구니 4개와 거미줄을 샀다.

스낵 바구니의 포장을 뜯어 세계인이 즐기는 초코파이를 한 개씩 추가해서 재포장하고 거미줄로 폐가 분위기를 연출한 후 주변을 살폈다. 얼마 전 이사 온 건너편 젊은 부부는 주차장에 귀신을 모셨다. 참여의지를 적극 표현한 아이디어를 높이 평가하며 어릴 적 소풍 기다리는 설렘으로 10월 31일을 기다렸다.

드디어 10월 31일 오후, 서늘한 바람이 불자 가족단위로 행진이 시작되었다. 아빠들은 좀 더 과감하게 피가 난무하는 분장에 도끼나 피 묻은 칼을 들었고 엄마들은 예쁜 마녀나 원더우먼 차림이었다. 아이들은 과자 담을 앙증맞은 바구니에 마법사나 스파이더 맨 같은 만화 주인공들의 복장으로 귀여움을 더

했다. 복장에 맞는 적절한 소품까지 갖춘 모습에서 가족의 분위기를 읽을 수 있었다.

그렇게 볼거리를 제공하며 행진하다가 이웃들과 사진도 찍고 독특하게 주변을 꾸민 집 앞에서는 엄지손가락을 추켜세우며 덕담도 나눴다. 자유롭게 즐기는 그들의 모습을 보며 우리 집 앞에 오기를 내심 기다렸다. 마침내 한 가족이 우리 집 우체통 앞에 섰다. 이때 집 주인이 성의 있게 대접(Treat)하지 않으면 영혼들이 화가 나 나쁜 장난(Trick)을 친다는 것이니 최대한 정성스럽게 그들을 대접해야한다는 것이다. 준비한 스낵 바구니를 어린 마법사 손에 들려주었다. 초코파이를 보며 엄마 마녀는 "Thank you."를 연발했고 마녀, 동물, 백설 공주, 해골 등 다양한 복장의 귀여운 영혼(?)들이 차례로 방문했다. 정성껏 대접하면서 한국인임을 알렸는데 어떤 엄마는 초코파이를 보며 대뜸 "안녕하세요."라고 인사했고 아빠는 즉석에서 '강남 스타일'의 말 춤을 선보여 주변을 웃겼다. 비슷비슷한 외모를 가진 동네 사람들 속에 우리는 단연 돋보였다.

서서히 어둠이 짙어 무리들 속의 흰 드레스만 언뜻언뜻 보일 즈음, 축제는 막을 내렸다. 몇몇 뜻을 같이 한 가족들의 노력으로 어르신부터 동네 강아지까지 제대로 할로윈축제를 즐겼고 참석한 모든 이들은 즐겁고 소중한 추억을 갖게 되었다. 살다 보면 문득 이민자만이 느끼는 소외감과 열등감으로 며칠씩 우울하고 자존감이 바닥일 때가 있다. 그럴 때 이웃과 함께했던 아름다운 추억은 끈끈한 연대의식과 긍정의 힘을 준다. 내년에도 예쁜 악마들을 위해 스낵 바구니를 준비해 액운도 쫓고 이웃사랑도 실천해야겠다.

*Trick or Treat!: 사탕이나 과자를 주지 않으면 장난칠 거야

이 남자의 미래

"여보! 나와 봐." 한 단계 높아진 자신만만한 목소리로 남편이 부른다. '마침내 끝냈구나.' 생각하며 나가보니 니스(Nisu)가 흠뻑 묻은 붓을 들고 의기양양 계단 끝에 서 있다. 약 2주간에 걸쳐 옥외 계단과 베란다 난간 환경미화 작업을 마친 것이다.

우리 집 앞쪽은 대문부터 현관까지 15개의 목조계단이 있고 뒤쪽 역시 17개의 목조계단과 베란다가 있다. 이곳의 신축 옥외 구조물들은 보통 철재로 마감하여 페인트 이외에 크게 신경 쓸 일이 없는데, 전형적인 퀸스랜더(Queenslander)* 인 우리 집은 지속적인 관리가 필요할 것 같아 구입할 때 좀 망설였다. 그러나 목재가 주는 자연스러움과 특히 나뭇결과 색을 그대로 살린 계단의 핸드 레일이 마음에 들어 관리는 나중 문제로 생각하고 서둘러 계약했다.

그런데 차츰 시간이 지나자 강한 햇빛과 폭우로 표면의 윤기가 사라지고 갈라지더니 그 틈으로 물이 스며들었다. 나무에 물이 닿으니 거뭇거뭇 곰팡이가 자라고 난간 사이에는 초록 이끼까지 생겨 폐가를 연상케 했다. 한때는 자랑이었던 것들이 애물단지로 변해 볼 때마다 심란했는데 남편은 경험삼아 스스로 해볼 수 있는 좋은 기회라며 반가워했다.

하긴 지인들 중에는 혼자서 정원이나 방도 만들고 그보다 더 큰 어려운 공사도 거뜬히 해내니 손재주 좋은 남편 역시, 잘 할 수 있을 거란 믿음을 갖고 시작을 기다렸다. 잔소리 할 때는 당장 내일이라도 시작할 기세였다가 잠잠해지면 궁색한 변명만 늘어놓는 사이, 표면의 검은 곰팡이들은 점점 커졌다. 정갈하고 단아했던 예전 모습은 사라지고 겨우 기능만 유지하는 지경이 되었다.

잔소리도 지칠 즈음, 그는 필요한 재료와 도구를 알아보고 상점을 들락거리며 준비물들을 찾는데 적합한 재료를 한 번에 구입하는 것이 쉽지 않은 눈치였다. 그럭저럭 재료가 갖춰지고 어떤 날은 망치 소리가, 또 어떤 날은 전동 대패를 잘못 써서 표면에 깊은 상처를 냈다고 투덜거리기도 했다. 저러다 다치는 것은 아닐까 걱정도 했고 윙윙 기계소리에 신경이 곤두섰으며, 터무니없이 많이 늘어놓은 도구들을 보며 실실 웃음이 나기도 했다. 잘 갖춰진 연장과 열정에 비해 작업은 생각보다 시간이 많이 걸렸는데 위험한 모습에 몇 번 놀란 난 일찍이 큰 기대를 접고 담담하게 지켜보았다.

이런 나의 기분이나 태도에 괘념치 않은 그는 생업(生業)이 끝나면 서둘러 집에 와 활기차게 사포질에 매달렸다. 그럭저럭 첫 단계 작업을 마치고 니스 칠을 했는데 한번, 두 번 정성을 더할 때마다 광택은 났으나 이미 썩은 표면과 흠집은 감춰지지 않았다.

"2년마다 한번씩 손 봤으면 충분히 깨끗하게 관리할 수 있었을 텐데."라며 아쉬움 섞인 혼잣말을 몇 번 중얼거리더니 결국 그 부분은 포기하는 눈치였다. 그리고 오늘 속전속결로 몇 번의 니스 칠을 끝냄으로써 생애 처음으로 '내 집 스스로 보수하기'란 숙제를 마친 것이다.

어수선한 주변을 정리하며 얼룩들을 닦아내려하니 "근처에 가지 말라."고 현장 책임자처럼 강한 어조로 말했다. 사실 결과물은 기대에 미치지 못했고 특히 크게 번진 얼룩 위의 광택은 오히려 얼룩을 도드라지게 했다. 그래도 바쁜 중에 이만큼 해낸 것에 점수를 주며 다음을 기대했더니 뜻밖의 후한 점수에 겸연쩍게 웃으며 붓을 씻었다.

60점짜리 결과물을 바라보며 100세 철학자인 김형석 교수의 말씀이 생각났다. 100세를 살아보니 정년퇴직 후의 배우고 노력하는 알찬 인생 설계가, 노년기를 의미 있고 행복하게 만든다고 했다. 나이는 숫자에 불과하니 평소 관심 있던 분야를 찾고 공부하며 행동에 옮길 때 젊은이 못지않은 활기찬 인생을 즐길 수 있다고 했다.

공대를 졸업한 남편은 직장생활 내내 서류와 씨름한 화이트칼라(White Collar)였는데 이민 와서 주택에 살다보니 기술의 중요성을 실감했다. 처음 몇 번은 기술자들의 손을 빌렸는데 생각보다 인건비가 비싸서 작은 일들은 스스로 해야겠다고 다짐하듯 내게 말했다. 이후 호기심 많은 그는 자동차나 전기제품 수리 현장을 만나면 민망할 정도로 묻고 원리를 따졌는데 그럴 때 그의 표정은 한없이 진지하고 활기찼다. 그동안 듣고 보고 생각한 것들을 이번 기회에 실습하면서 자신감을 얻었는지 언어와 시간이 허락된다면 기술학교에서 체계적으로 배우고 싶다고 했다. 의미 있는 목표가 생긴 것을 진심으로 환영하며 모쪼록 그의 멋진 꿈이 이루어지길 바란다.

*퀸스랜더(Queenslander): 퀸스랜드의 전통가옥으로 이 지역은 열대, 아열대 기후로 비가 많이 내리고 덥다. 따라서 홍수와 더위를 피하기 위해 건물을 지을 때 2~3m 높이의 기둥을 세운 뒤, 그 위에 목조건물을 짓는다. 1층은 주로 창고나 주차장으로 이용하고 2층을 주거공간으로 활용한다.

자투리 김, 우정을 나누다

포도주에 치즈 몇 조각, 맥주와 자투리 김을 놓고 하루를 마무리한다. 일찍 자고 일찍 일어나는 이 동네 주민들에게 밤 10시면 한밤중이라 불빛이 새지 않도록 커튼치고 촛불을 켜니 그럴싸한 분위기가 되었다. 24시간 거의 잠들지 않는 도심에서 살다가 한적한 시골 마을 같은 이곳의 밤이 처음엔 답답했다. 그러나 시간이 지날수록 익숙해져 자연의 소리에 귀 기울이며 하루를 마무리하는 이 시간이 이제는 편안하고 행복하다.

시원한 맥주 안주인 자투리 김은 스시 가게를 운영하는 친구가 가져왔다. 스시는 한국의 김밥과 외양이 비슷하다. 김밥은 참기름과 소금을 넣은 고소한 밥에 단무지와 야채나 고기를 넣어 김에 말은 형태다. 이에 비해 스시는 식초, 설탕을 넣은 새콤달콤한 밥에 신선한 생선과 튀김류 등 내용물이 좀 더 다양하다. 이렇게 맛과 색의 조화를 이룬 스시는 스테이크나 패스트푸드에 질린 현지인들의 입맛을 단박에 사로잡았다.

몇 년 전만 해도 한국인들의 스시 가게 운영은 큰 부담 없이 창업하며 수입도 안정적인 인기 직종이었는데, 최근에는 대형 쇼핑센터까지 가세해 경쟁이 치열하다고 한다. 그래도 친구네 가게는 목도 좋고 친절하며 인심 또한 넉넉하여 꾸준히 장사가 잘 되는 편이라고 한다.

20㎝정도의 길이에 3㎝높이로 잘린 자투리 김은, A4 크기의 전장(全長)중 내용물을 싸고 남은 부분이다. 은은한 바다향도 좋고 바삭거리며 간도 알맞아 땅콩이나 오징어와 곁들이면 맥주 안주로 그만이다. 또한 약간의 물과 식초를 넣고 무치면 새콤달콤한 맛이 일품이고, 기름을 넣으면 고소해서 도시락 반찬으로도 손색이 없다. 그중의 으뜸은 뭐니 뭐니 해도 손쉽게 쌈으로 이용하는 것인데 간장만 맛있으면 뒷맛까지 개운한 훌륭한 반찬이 된다.

얼마 전, 김이 김치를 제치고 한국인이 가장 많이 먹는 음식 1위로 등극했다는 기사를 읽었다. 김치는 만들기가 복잡하며 짜고 맵고 냄새가 강해 젊은이들 사이 호불호(好不好)가 극명한 반면, 김은 가볍게 한 끼 식사해결에 적당하기 때문인 것 같다. 풍부한 맥주 거품 속에 서해 바다가 넘실거린다.

외가는 서산 갯마을이었다. 엄마는 1남 4녀 중 둘째로 나와 나이 차이가 많지 않은 두 여동생이 있는데 늦둥이인 막냇동생은 나보다 한 살 적다. 외할머니께서 막내딸, 즉 나의 막내이모를 낳았을 때 우리 엄마가 돌배기인 나를 데리고 산바라지를 했다고 한다. 딸 셋에 혹시 아들일까 기대가 컸는데 역시 딸이라서 아쉬웠지만 그래도 늦둥이 재롱이 최고라며 식구들은 막내이모를 예뻐했었다. 방학만 되면 외가에 갔던 나는 바다 일로 바쁜 어른들을 대신하여 이모들과 집안의 잡다한 일을 놀이처럼 즐기면서 지냈다.

특히 막내 이모는 머리카락 뭉치 같은 파래를 삽시간에 먹을 수 있는 김으로 변신시키는 솜씨가 수준급이었다. 전날 어른들이 바다에서 뜯어온 파래 뭉치를 수돗물에 바락바락 치대어 이물질을 가려낸 후, A4 크기의 김발에 고르고 반듯하게 펼쳐 볕이 잘 통하는 곳에 말렸다. 오후가 되면 그것들은 달짝지근하고 향긋한 김이 되어 간장 한 종지와 함께 둥글게 앉은 식구들을 배부르게 했었다.

이렇게 어릴 적부터 싱싱하고 순수한 맛에 길들여진 나는 해산물을 유난히 좋아했다. 비릿한 냄새를 맡으면 외가가 생각나고 행복했던 추억들이 떠올라 아늑함을 느끼곤 했다. 그런 나를 보고 엄마는 "바닷가로 시집가야겠다."고 농담처럼 말씀하셨는데 바닷가에 살진 않지만 우리 집 냉장고는 언제나 육류보다 해산물이 많다. 거기에 스시 집 친구가 또 정성을 보태니 고맙고 행복하다. 그녀는 자투리 김이 담긴 봉투를 건네며 한마디 덧붙였다.

"자투리라 미안해. 그래도 자기라면 요긴하게 쓸 것 같아 가져 왔어." 봉투의 내용보다 나를 허물없는 친구로 대하는 그녀의 마음이 더 고마웠다. 좋은 친구를 만나는 것은 큰 즐거움인데 이민 사회에서는 친구 사귀기가 쉽지 않다. 대부분 일하니 시간내기가 어렵고 나 같은 경우는 종교단체나 취미활동에 참석치 않으니 때론 외로운데 이렇게 마음써주니 얼마나 감사하고 기쁜 일인가?

"보잘것없는 나를 친구로 생각해줘서 고마워요. 나보다 나이도 많고 이민 햇수도 많아 인생선배 같은데 어느새 정이 들었네요. 사실, 나도 고백할 것이 있는데 언젠가부터 좀 특별한 음식이나 예쁜 것, 좋은 것들을 보면 함께하고 싶었어요. 무엇보다 내 안의 불만을 토로해도 인격 의심치 않고 무조건 내 편이 되줄 것 같아 든든하게 생각하고 있었어요. '친구를 얻는 데는 오래 걸리지만 잃는 데는 잠시다.'라는 말이 있지요. 은근하게 정성들여 쌓은 우정 변치 않도록 이해하고 배려하며 노력하는 우리가 되길 기도해요."

신고식

이사하고 한 달간은 화단에 나가 볼 틈이 없었다. 전 주인이 판매를 대비해 화단을 새로 단장하며 뒷마당은 뽕나무, 앞마당은 올리브, 석류 그리고 레몬을 각각 1그루씩 심은 것만 알고 있는 정도였다. 베란다에 서면 제일먼저 뒷집의 포인시에나가 시선을 끄는데 너무 커서 우리 뒷마당까지 넘어와 있다. 이번 여름은 이 나무가 보내는 바람과 꽃으로 시원하고 행복하게 지낼 것 같다.

머리를 조금 더 들면 동네 수호 목(木)이라할 만큼 풍채 좋은 나무가 24시간 골목들을 굽어보고 있다. 언뜻 보기에는 벤자민과(科) 같은데 믿음직한 그 나무를 보며 하루의 안녕을 빌곤 한다. 그 나무를 중심으로 멀리 한 바퀴 휘 둘러보고 시야를 바로 옆집에 고정시키면 아름드리 마카다미아 나무와 프렌치페니가 있다. 마카다미아 나무는 10㎝정도 줄기에 자잘한 꽃들이 나란히 피는데 저 작은 꽃이 둥글고 딱딱한 열매가 되리라고는 상상할 수 없을 정도다. 예전에 살던 집 옆에도 이 나무가 있어 가을 정취를 만끽했는데 이곳에서도 그 운치를 즐길 수 있으니 반갑기 그지없다. 풍성한 잎에 수없이 많은 꽃을 피운 그 나무와는 대조적으로 죽은 듯 침묵하고 있는 프렌치페니가 있다.

겨울의 프랜치페니는 성장이 멈춘 것처럼 보이지만 초봄에 서서히 잎을 올리고 늦은 봄부터 여름 내내 여러 가지 색의 꽃들을 선보인다. 넓적한 푸른 잎 속에 수줍은 듯 숨은 듯 살짝 핀 꽃들은 향기는 물론 꽃 모양도 아름다워 이곳 사람들이 좋아하는 수종이다. 하양, 노랑, 분홍, 주황 그리고 옅은 빨강까지 다양한 색을 자랑하는데 꽃이 피기 전까지는 색을 알 수 없어 상상하는 재미가 있다. 순결한 흰색은 어렵지 않게 볼 수 있으니 노랑이나 주황 꽃을 기대하며 본격적으로 우리 집 화단을 둘러보러 나갔다.

장화와 모자 장갑으로 중무장하고 목과 다리 주변에 해충예방 스프레이를 뿌렸다. 겨울이라 해도 사람을 공격하는 해충들이 많으니 준비 없이 나가면 가려움증으로 며칠씩 고생한다. 우선 앞마당의 올리브 나무를 아담하게 쳐냈다. 시드니만 해도 날씨가 쌀쌀해서 열매가 열리는데 브리즈번은 어떨지 궁금하다. 비록 열매가 없어도 희뿌연 잎만으로도 충분히 아름다우니 흐뭇하다.

한여름 점점이 붉은 꽃을 자랑하며 알갱이를 빼곡하게 품는 석류나무는 잎만 무성하다. 바짝 붙어있는 레몬나무를 의식하며 어렵게 가지치기를 하는데 수더분하게 생긴 가지에 뜻밖에 뾰족한 가시가 있다. 손톱만한 열매와 향기로운 꽃이 반(半)씩 사이좋게 매달린 레몬나무 역시 가시가 많다. 작업자의 자세가 틀어지거나 방심하면 양쪽에서 쿡쿡 찌르고 할퀴니 신고식치고는 꽤 괘씸해서 되도록 바짝 잘랐다.

가지치기를 마친 후 주차장 옆의 알로에에게 말을 건넸다. 이 식물은 식용이나 의료용으로 많이 쓰이는데 이곳은 관상용으로 아주 흔하다. 겨울이 없으니 한번 심으면 나무처럼 커져 우리 집 알로에는 2m 길이에 가시가 무시무시하다. 위쪽에는 붉은 빛의 긴 꽃대가 사방으로 횃불 같다. 꽃이 핀 것은 처음 보는데 새 주인을 열렬히 환영하는 것처럼 보인다.

"와, 멋지다!" 탄성으로 화답하며 아래 부분에 얼기설기 제멋대로 붙어있는 갈색의 껍질들을 떼어냈다. 순간, 그 속에 보금자리를 마련했던 개미들이 집을 잃어 야단법석이다. 일부는 이대로 당할 수 없다는 듯 작정하고 물었다. 놀라기는 개미나 사람이나 마찬가지, 한바탕 전투를 치르는데 '가재는 게 편'이라고 따끔따끔 물어대는 것들이 또 있다. 한 달 만에 마음먹고 시작한 것이니 중단할 수 없어 다시 약을 뿌리고 겨우 일을 마쳤다. 그렇게 정리하니 사람보기에는 훨씬 단정한데 당사자인 식물과 곤충들은 어떨지 궁금하다. 가지가 잘리고 터전이 박살났으니 당장은 가슴쓰리고 아프겠지만 조만간 성장에 큰 도움이 될 것임을 확신한다. 부디 새로운 이웃 반갑게 환영하는 동네 인심처럼 너그럽게 이해하길 바라며, 한 식구 되었으니 동고동락하며 아름답게 성장하길 기도한다.

아래층 새 식구

양고기 바비큐를 위해 남편이 화덕에 불을 지핀다. 오늘의 주인공들은 우리 집 아래층에 살고 있는 부지런하고 아름다운 세 명의 20대 여성들과 방문객 친구다. 주택이 많은 이곳의 웬만한 집은 뒷마당에 간단한 바비큐 도구가 있어 손쉽게 고기의 불맛과 파티 분위기를 즐길 수 있다.

그녀들이 처음 우리 집에 왔을 때 환영의 의미로 뭔가 특별한 것을 준비하고 싶었다. 우리 집 단골메뉴인 양고기에 대해 넌지시 물었더니 반응이 좋았다. 양고기는 특유의 냄새 때문에 호불호가 갈리는데 의외의 반응에 그 고기를 먹어본 적이 있냐고 물었다. 요즘 한국은 양고기 체인점이 많아 친구들과 종종 먹었다며 준비한 고기를 맛있게 먹었다. 이후 양고기 바비큐는 우리 집 행사의 대명사가 되었는데 오늘은 그녀들의 친구까지 동석했다.

우리 집은 위층에 방 3칸, 샤워실 2개와 부엌이 있고 아래층은 방 2칸과 샤워실 1개 그리고 부엌이 있으니 두 가정 살림이 가능한 구조다. 우리 부부만 살기에는 집이 좀 커서 아래층을 쉐어(share)할 친구들을 구한다는 광고를 올렸더니 먼저 20대 후반의 두 여성이 왔다. 그들은 고등학교 동창 사이로 해외여행 경험이 꽤 많은 친구들로 첫눈에 맘에 들었다.

학교졸업하고 직장생활 하다가 나이 더 들기 전에 외국에서 한 번 살아보고 싶어 워킹 홀리데이 비자(Working holiday Visa)로 왔다고 했다. 당찬 계획을 들으며 그녀들의 당당함이 부러웠었다. 뒤이어 그녀들보다 한 살 적은 한국에서 IT회사에 근무했던 영어가 유창한 여성이 합류해서 1년 동안 한 식구가 되었다. 이들 셋은 카페와 스시 집에서 평일에는 열심히 일하고 주말에는 서로 시간 맞춰서 산으로 바다로 행복하다. 시드니 멜번은 물론 인도네시아 발리와 뉴질랜드까지 다녀오는 등 '워라벨(Work and Life Balance)'의 삶을 즐기고 있다.

자신들의 삶도 열심이지만 틈틈이 신문명에 취약한 우리 부부도 잘 도와준다. 컴퓨터 문제를 해결하며 휴대폰과 카톡을 업데이트해주고 상황에 맞는 귀여운 이모티콘들로 우리를 즐겁게 한다. 시티나 일터의 핫한 소식들을 전하며 우리 비즈니스의 도우미 역할도 마다하지 않는 만능 재주꾼들이다. 그녀들

덕분에 활력이 솟고 집안에 웃음이 끊이지 않으니 서로 잘 맞아 행복하다.

화덕 불이 벌겋게 타오르자 차례차례 마당으로 나오는데 스시가게에서 일하는 친구는 알록달록 예쁜 스시 한 접시를 가지고 나온다. 유명 카페에서 바리스타로 일하는 친구는 명품 빵과 케이크를 준비했고, 오피스 카페에서 일하는 친구는 맛있는 샐러드를 만들어 테이블 위에 올린다. 스시, 케이크, 샐러드 비주얼은 화려하지만 그래도 김치와 된장찌개가 빠지면 뭔가 허전하고 서운해 한 접시씩 올리고 포크 나이프 곁에 수저와 젓가락도 함께한다.

불 멍하며 서로의 일과를 물은 후 적당한 불 위에 도톰한 고기를 차례대로 올리고 뒤적일 때면 정담도 무르익는다. 알맞게 익은 고기를 샐러드든 김치든 각자 취향대로 맛있게 먹으며 양고기 추억이 오간다. 한국에 비해 가격이 싸고 품질도 좋아서 훨씬 맛있다며 즐거워한다.

음식은 누구와 먹느냐가 중요한데 멀리 호주 땅에서 부모 같은 동포와 혹은 딸 같은 친구들과 한국말로 떠들며 먹으니 더 맛있는 것 같다. 고기를 배불리 먹었으니 호일로 잘 싸서 구운 감자는 못 먹을 것 같지만 감자 들어가는 배는 따로 있다며 또 먹는다. 누군가 오늘은 많이 먹고 내일부터 다이어트하자고 해 한바탕 웃었다.

정겹고 즐거웠던 바비큐는 끝났고 화덕 불을 제외한 뒷정리까지 완벽히 마친 그녀들은 안으로 들어갔다. 1년이라는 제한된 만남이지만 함께 지내는 동안 좋은 추억 많이 만들고 견문도 넓혀 훨씬 성숙해진 모습으로 복귀하길 바라며 화덕을 덮는다.

꽃바람 꿈동산

매실나무를 심기 위해 2주전부터 기계와 수작업으로 구덩이를 팠다. 그리고 오늘 친구들과 함께 100그루 중 25그루를 심고 은퇴 후 보금자리인 '꿈동산'에 갔다. 날씨는 더없이 쾌청하고 말들이 한가하게 풀을 뜯는 넓은 들판에 묘목들을 내려놓았다.

우리가 꿈동산이라 부르는 이곳은 브리즈번에서 북서쪽으로 218㎞, 자동차로 3시간 거리에 있는 시골마을로 땅콩농사가 유명한 곳이다. 평소 농사일에 관심이 많아 은퇴하면 시골에서 살고 싶었는데 우연찮게 친구가 그럴만한 장소를 찾았고 가격도 저렴해서 함께 샀다. 나이 들어 시골 삶은 어려운 결정으로 더군다나 우리는 소통도 문제가 많아 희망사항으로만 끝날 줄 알았다. 그런데 함께하자는 친구가 있으니 서로 외롭지 않고 게다가 이웃인 예전 땅 주인이 많이 도와주니 이래저래 거저

얻은 것처럼 고맙기만 했다.

땅을 구입하고 우리 넷은 '어떻게 땅을 관리할까?'를 고민했다. 경제적 측면보다는 소일거리로 채소와 닭을 키우며 이곳에서도 매실과 감이 열리니 그 나무들을 심기로 했다. 구체적으로 매실나무 100그루를 심어 꽃길을 조성하고, 말을 키워 승마 체험과 말마차가 있는 어린이 놀이동산을 만들자고 했다. 더불어 100그루의 열매를 수확하는 것도 녹록치 않으니, 방문객들이 직접 수확해서 매실청까지 만들 수 있는 공간도 만들자고 했다. 수고를 덜면서 결실의 기쁨을 나눔은 물론 우리의 문화와 정서도 함께할 수 있는 의미 있는 계획이라며 만장일치로 합의했다.

땅도 넓고 동물들을 키우면 분뇨가 많이 생기니 콩과 고추도 재배해서 된장과 고추장도 만들고 원하면 직접 담글 수 있는 실습장도 갖추자고 했다. 고추 이야기가 나오니 김장 채소도 많이 심어 예전 시골에서 하던 것처럼 날 잡아 함께 만드는, 말하자면 '제대로 된 한국 맛을 일괄 제공하는 곳'으로 만들자는 거창한 계획도 나왔다. 이를 실천하려면 "수명이 단축될 것 같다."는 여성들의 엄살로 한바탕 웃음꽃이 피었다. 이렇게 꿈은 좀 허황되어도 부담 없고 생각하는 동안 앤돌핀이 마구 솟아 10년은 젊어진 듯했다.

계획에 모두 동의했으니 첫 단계인 매실나무를 구매해야하는

데 듣자하니 한 그루당 50불씩 가격이 만만치 않았다. 이 나무는 중국인들에게도 인기가 있어 부르는 것이 값이라 하는데 소문대로라면 5천 불, 한화로 약 450만 원 정도로 큰돈이었다. 돈도 문제지만 그 많은 나무를 살 수 있을지 의문이어서 과수원이나 나무가게에 수소문해 구하는 대로 천천히 심는 것으로 의견을 모았다.

그런데 우리의 계획을 알게 된 지인 한 분이 묘목 키우는 분을 소개했다. '뜻이 있는 곳에 길이 있다'고 환호하며 트레일러를 끌고 찾아갔다. 아담한 산 밑에 예쁜 집이 있고 각종 채소가 잘 가꿔진 그림 같은 곳으로, 미래의 우리 모습이라며 여기저기 사진 찍고 창고까지 유심히 관찰했다. 연락을 받은 80대 주인 부부가 반갑게 우릴 맞이했다.

"아직도 우리와 생각이 비슷한 분들이 있어서 매우 기쁩니다. 좋은 나라에 와서 그동안 수고 많았으니 이제 하고 싶은 일 하면서 멋진 꿈 꼭 이루기 바랍니다."라고 덕담하며 30㎝ 정도의 건강한 매실나무를 그루당 20불씩 100그루 주셨다. 계획대비 3천 불을 절약하고 100그루를 한꺼번에 심을 수 있으니 그 감사함은 이루 말할 수 없었다.

나무는 준비되었고 나무 심기 좋은 계절 4월이 왔으니 염치불구하고 친구들에게 도움을 청했다. 모두 자기 일이 바쁜데도 기꺼이 돕겠다고 나섰고, 마침내 오늘 1차로 25그루가 킹가로

이(Kingaroy)라는 낯선 동네로 이사 왔다. 미리 파 놓은 구덩이에 지천으로 깔린 말똥을 거름으로 넣는데, 바퀴벌레만 봐도 벌벌 떠는 서울 댁들이 친구를 위해 팔 걷고 똥 줍는 모습이 눈물겹도록 고마웠다.

거름 넣고 물 붓고 나무 심고 3인이 1조가 되어 호흡 맞추니 노동이 놀이처럼 즐거웠다. 노동요(勞動謠) 같은 흥얼거림과 누군가의 우스갯소리에 한바탕 웃음꽃이 폈고 서늘한 바람은 이마의 땀을 식혔다. 지금은 먼지만 실어오는 바람이지만 몇 년 후엔 매실꽃향기와 웃음소리를 실어 나르는 꽃바람이길 소망하며 한 개 두 개 구덩이를 메웠다.

듬직한 큰딸

큰딸이 이민간 지 11년 되었다.

처음에는 고생이 많았는데 지금은 잘 살고 있는 것 같아 마음 편하다.

우리 큰딸은 내가 20살 낳았다. 어렸을 때 키는 작았지만 똑똑했다. 상장도 많이 탔다. 그 밑으로 동생이 세 명 있는데 잘 돌봐 줘서 모두 잘 살고 있다.

큰딸은 아들이 둘 있는데 호주로 유학가서 큰딸 부부도 호주에 갔다. 공항에서 많이 울었다. 장녀라서 많이 의지했는데 아쉬웠다. 딸이 보고 싶으면 꽃 보며 마음을 달랬다. 딸하고 전화로 꽃 이야기하면 보고 싶은 마음이 좀 가라앉았다.

올봄에 손자 결혼식과 내 생일이라고 왔었다. 그동안 딸도 나이가 먹어 흰 머리가 많았다. 너무 고생하는 것 같아 마음이 아팠다. 그렇게 일하면서 어떻게 글을 쓰는지 이번에 책도 낸다고 했다. 그러면서 딸에게 하고 싶은 이야기를 써 보라고 했다.

책에 내 글씨를 남기고 싶다고 했다. 너무 고마웠다.

잘 쓰지는 못하지만 열심히 써보겠다고 했다.

대답하고 텃밭을 보니 고추가 주렁주렁 열렸다.

자식농사도 이만하면 괜찮으니 부자가 된 것 같다.

나는 애들에게 잘못해 줘서 미안한데 애들은 나에게 과분하게 잘한다. 참 고맙다.

다시 한 번 출간을 축하하며 가족 모두 건강하고 행복하게 잘 지내기를 바란다.

엄마가. 2023. 8월

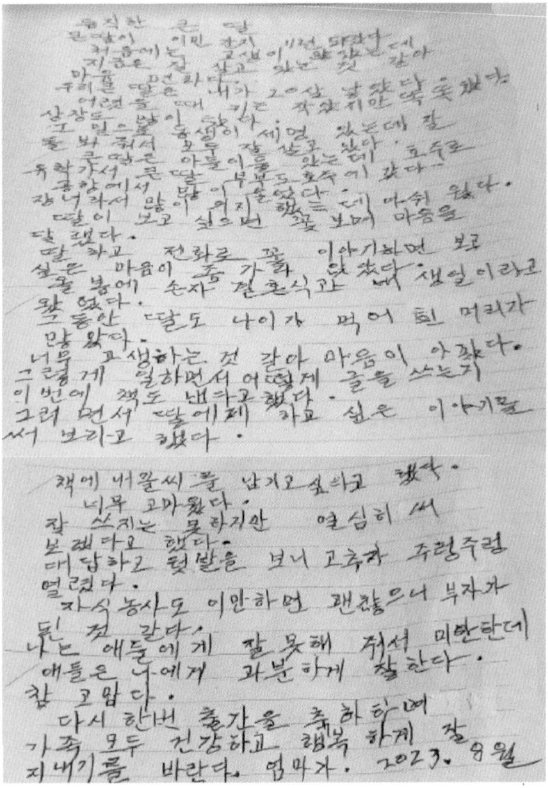
듬직한 큰 딸
큰딸이 이민 온지 11년 되었는데
처음에는 고생이 많았는데
지금은 잘 살고 있는 것 같아
마음 편하다
우리 큰 딸은 내가 20살 낳았다 똑똑했다.
어렸을 때 키는 작았지만
상장도 많이 탔다
그 밑으로 동생이 세명 있는데 잘
돌봐 줘서 모두 잘 살고 있다. 호주로
큰딸은 아들이 둘 있는데
유학가서 큰딸 부부도 호주에 갔다.
공항에서 많이 울었다.
장녀라서 많이 의지 했는데 아쉬웠다.
딸이 보고 싶으면 sns 보며 마음을
달랬다.
딸하고 전화로 꼭 이야기하면 보고
싶은 마음이 좀 가라 앉았다. 내 생일이라고
올 봄에 손자 결혼식과
왔었다.
그동안 딸도 나이가 먹어 흰 머리가
많았다.
너무 고생하는 것 같아 마음이 아팠다.
그렇게 일하면서 어떻게 글을 쓰는지
이번에 책도 낸다고 했다.
그러면서 딸에게 하고 싶은 이야기를
써 보라고 했다.
책에 내 글씨를 남기고 싶다고 했다.
너무 고마웠다.
잘 쓰지는 못하지만 열심히 써
보겠다고 했다.
대답하고 텃밭을 보니 고추가 주렁주렁
열렸다.
자식 농사도 이만하면 괜찮으니 부자가
된 것 같다.
나는 애들에게 잘못해 줘서 미안한데
애들은 나에게 과분하게 잘한다.
참 고맙다.
다시 한번 출간을 축하하며
가족 모두 건강하고 행복하게 잘
지내기를 바란다. 엄마가. 2023. 8월

평설

작가는 희망에너지 전도사

최운선

(문학박사, 계간 『문학생활』 회장,
Mongolia Huree University 특임교수)

1.

유인희 작가는 항상 소중한 그 무엇인가를 품고 살아가는 사람이다. 그 소중함이란 슬픈 기억, 서러운 기억, 그리고 아름다운 기억들이 포함 되어 있을 것이다. 그녀의 글을 읽다 보면, 슬픈 일도 반짝이는 좋은 일처럼 살아가는 모습이 보인다. 부부간에 갈등이 생길 때, 작가의 글 「거리두기」에서

> 함께 있되 그대들 사이에 거리를 두어라. 그래서 하늘 바람이 그대들 사이에서 춤추게 하라.

칼릴 지브란(Kahlil Gibran)의 시를 인용해 자신을 다독이는 모습을 본다. 마치 작가 스스로 자신의 행복과 불행을 결정하기라도 하듯, 일희일비하지 않는 당당한 삶의 모습이다. '어떤 생각을 받아들이느냐에 따라 행복과 불행이 나뉜다.'고 한다. 이는 우리가 살면서 맞닥뜨리는 수많은 기쁨과 슬픔, 편함과 불편한 것들에 대해 어떤 마음으로 받아들이냐가 무척 중요하다는 말이다.

바로 유작가의 삶의 방정식에는 한없이 푸른 하늘을 가슴에 품은 듯 싱그러우면서도 진득한 속내가 엿보인다. 이러한 삶의 방정식이 아직도 희망의 불씨로 남아 있어 든든하다. 그녀의 삶의 방정식이 어느 순간 나아갈 길을 잃어 막막해 하는 이들에게 또 다른 길이 있음을 상기시켜줄 것이며, 아울러 작가 자신이 살아가는 이유가 될 것이다.

2.

유인희 작가는 호주에서 터를 잡은 사람이다. 그녀는 '무엇 때문에 호주에서 터를 잡았을까?' 그리고 호주로 이주해서 그동안 '어떻게 살아 왔을까?'

"그래, 나도 호주에서 남들처럼 멋지게 살게 될 거야. 그리고 내가 하고 싶은 대로 살 수 있을 거야."라고 마음속으로 부르짖었을까? 그러나 유인희 작가 부부가 호주에서 처음 얻은 일자리는 청소 비즈니스였다. 그렇게 허드렛일을 하면서 차츰 돈도 조금씩 모을 수 있었는데….

어느 날, 「일의 서글픔과 기쁨」이라는 작품에서 다음과 같은 고백을 읽을 수 있었다.

> 문제는 시간이 지날수록 이 일이 내 안의 욕구와 충돌하기 시작했다. 먹고 살만하니 더 이상 휴일 없이 일하기 싫었고 적어도 저녁과 주말은 쉬면서 정말 좋아하는 뭔가에 집중하고 싶었다. 그동안 열심히 했기 때문에 이 정도의 선물은 당연하다고 생각하며 남편에게 동의를 구했더니, 현실감과 책임감 없는 철부지 같은 생각이라며 일언지하에 묵살했다. 내 딴에는 어렵게 꺼낸 이야기였는데 배려는커녕, 미래 운운하며 배우자의 삶을 좌지우지하려는 그의 가부장적 태도에 크게 실망하여 서글픈 시간을 보냈다.

이때부터 작가는 외로움이 엄습하고, 거대한 브리즈번 도시가 괴물처럼 덮치는 것 같았다. 세상이 자신에게 차갑게 등을 돌려버린 것만 같았다. 그리고 사무치게 자신이 못나 보였다. 그러자 그동안 잊고 지내온 고향이 그리워지며 부모 형제가 보고 싶어졌다. 그러나 고향으로 다시 돌아가기는 그리 쉽지 않았다. 그러한 가운데 아버님의 임종 소식을 접하며 다음과 같이 애절한 부성애를 표현하게 된다.

> 그렇게 안간힘을 다해 감동적으로 나를 맞이했지만, 난 다만 그의 손을 잡고 베개 높이와 이불 상태를 살피며 요양보호사처럼 움직였다. - 중략 -
>
> 고통이 극에 달해 가끔씩 눈을 번쩍 뜨며 괴로워하면 나 역시

잠시 숨을 멈추고 기도했다.

"평생 들리지 않는 설움을 당한 분입니다. 돌아가시는 길은 편안해야 공평한 것 아닙니까?" 라고 허공에 호소하기도 했다.

-「아버지를 어루만지다」에서

3.

유인희 작가의 몸은 지칠 대로 지쳤고 급기야 그녀의 남편에게 원망의 화살이 날아간다.

"일과 살림은 대충하면서 돈 안 되는 책 읽기나 글쓰기에 매달리는 내 꼴이 미워서 입만 열면 일 타령이지? 그래도 난 자기개발이라는 명분이라도 있지. 당신은 허구한 날 술에 유튜브에 날 밤새고 있으니 그게 뭐야? 70세까지 일한다는 사람이 그렇게 건강을 돌보지 않으면 어떻게 일해? 실천 없이 말만 앞세우면 누가 당신을 신뢰해서 동참하겠어?"

-「거리 두기」에서

남편과 각을 세운 거리 두기가 시작된 것이다. 그러나 그녀의 작품을 읽다 보면 삶의 깊이와 함께 생각의 깊이도 숙려하게 된다. 목표를 설정하고 살다보면 살아가는 지혜가 성공하는 것보다 중요할 때가 있다. 깊이가 있는 삶을 살아가기 위해서는 삶의 방정식이 있어야 한다. 그리고 삶의 목표가 있어야 한다. 호주로 이주할 때 그녀의 삶의 목표는 두 아들 교육에 있었다. 두 아들에게 바른 목표를 찾아주고 희망 플러스 에너지를 넣어주기 위해 호주로 이민 간 것이다. 두 아들을 책임감 있는 성인으로 키우기 위해 유학을 결정한 것이다. 그리고 그 이유 때문에 그 어려운 상황에서도 살아가려는 욕망이 생겼을 것이다.

그녀는 항상 두 아들에게 희망에너지를 불어 넣기 위해 온 정성을 쏟았다. 어린이든, 청소년이든, 어른이든, 노인이든 간에 '희망 플러스에너지'가 많으면 많을수록, 성취욕구가 강해지고 그 성취의 수준도 높아질 것이다. 대개 플러스에너지는 '내가 이것을 이루면 이러이러하겠지'라는 긍정적인 생각을 가질 때 생성된다. 그리고 꿈과 기대에 찬 상상을 한다거나, 어떤 일의 성취로 인하여 기쁨을 얻을 때 또는 영혼이 충만해지며 가슴이 벅찰 때 생성된다. 반면에 하기 싫은 일을 할 때, 나쁜 생각을 떠올릴 때 또는 남의 허물을 트집 잡거나 짜증낼 때 기분은 바닥으로 가라앉으며 마이너스 에너지가 발생하게 된다.

4.

우리는 하루 24시간이라는 테두리 안에서 살아간다. 그러나 24시간을 48시간으로 사는 사람이 있는가 하면, 한 것도 없는데 하루가 갔다고 푸념을 하는 이도 있다. 그렇다면 유작가의 하루는 어떤 모습일까? 한때는 24시간을 48시간으로 살아야 했던 때도 있었을 것이다. 그러나 그녀는 그 치열한 현실의 고단함 속에서도 끝내 자신을 놓아버리지 않겠다는 의지가 누구보다 강렬했던 것으로 기억된다. 결국 작가로서의 길을 걷는 그녀에게서 지난날들의 응축된 삶의 고뇌가 희망에너지로 분출되어지는 것이리라.

> 서글픔이라 여겼던 시간들은 내 안의 편협한 직업관을 담금질하여 과분할 만한 풍요를 주었고, 위기에도 담대하고 의연하게 대처할 수 있으니 스스로 기특하고 감사할 뿐이다.
>
> -「일의 서글픔과 기쁨」에서

이와 같은 서술은 '희망에너지 전도사' 유 작가를 마주하는 대목이다. 그 어떤 경우에도 스스로의 삶의 방정식은 희망이 있어야 살아 갈 수 있다는 확신을 피력한 것이다.

움직이기만 해도 찝찔한 땀방울이 이마를 타고 흘러 눈물로 변할 때, 그럼에도 불구하고 일의 온전한 주인이 되어야 할 때 힘과 용기를 주는 글이 있으니 '알랭 드 보통'의 「일의 기쁨과 슬픔」의 마지막 단락이다.

그녀가 이를 휴대폰에 저장하고 틈틈이 주문처럼 읊조리고 살아가는 삶의 자세는 작가의 아름다운 삶의 의지가 담긴 인생의 불꽃이라 단정하며 끝을 맺는다.

자카란다 그늘 아래

유인희 수필집

1판 1쇄 인쇄/ 2023년 10월 20일
1판 1쇄 발행/ 2023년 10월 25일

지은이 / 유 인 희
펴낸이 / 우 희 정
펴낸곳 / 도서출판 소소리

등록 / 제300-2007-21호
주소 03073 서울 종로구 성균관로5길 39-16
전화 / 765-5663, 010-4265-5663
e-mail: sosori39@hanmail.net

값 14,000원

*잘못된 책은 바꿔드립니다.

ISBN 979-11-5891-188- 1 03810